ハイクロペディア

超初心者向け
俳句百科

本阿弥書店

N
S

◆序に代えて

【ああ】 嗚呼

私は俳句番組のプロデューサーとして俳句の現場に関わってきました。俳人の先生方と交わり、数多くの意見に触れてきました。こうした経験を通して俳人ごとに見解が違うことや、あえて説明しないことが多々あることに気づきました。暗黙のコミュニケーションを重視する日本の伝統なのかもしれません。

ところでテレビは全てを明示しなければならないメディア。暗示しても視聴者に伝わりません。これまであまり語られてこなかった俳句の機微をどう明示すればいいのか。悩んで「嗚呼」と嘆息することもしばしばでした。その中である種の「翻訳機能（暗示→明示）」を脳の中に備えるようになってきました。

世の中には多くの俳句入門書があり、懇切丁寧に「わからないこと」を説明してくれます。ところが初心者の方に尋ねてみると「何がわからないのか、わからない」というのです。千人の初心者がいれば、わからないことも千通り。それぞれに段階を踏んで教えてゆくことはほぼ不可能ではないでしょうか。

そこで、ハイクロペディアでは「わからないことを初心者に見つけてもらう」ことにしました。

だから、辞典形式。俳句の百科事典、つまりエンサイクロペディアです。項目ごとに拾い読みしていただいても結構ですし、初めから順に読んでもらってもOK。辞典ですから、どこかの項目にあなたのわからないことが掲載されている筈です。

しかも、俳句には様々な考え方や例外があり、わかりやすく言おうとすると「厳密に言えばそうともいえない」「別の考え方もある」とか、必ず突込みが入ります。そのため従来の入門書ではわざとぼかした表現がとられることもありました。

しかし、この稿でははっきり言います。少々乱暴かもしれませんが、予備校の参考書みたいなものと考えてください。大学の国文科で学ぶような精緻さは一旦忘れ、思い切って簡略化しています。深遠な世界のほんの入口にしか過ぎませんが、とりあえず試験に出そうなところだけを、六十点くらい取れる内容となっています。

ハイクロペディアに並ぶ項目は、私自身が「嗚呼」と嘆息してきたことばかり。出来る限り「暗示→明示」していますので、今から俳句を始めるあなたにきっと役立つ筈です。このささやかな稿が俳句の迷路にまよってしまいそうなあなたの羅針盤とならんことを。

ハイクロペディア＊目次

装幀・おくむら秀樹

ハイクロペディア

超初心者向け俳句百科

蜂谷一人

【あ】行

【アート】

俳句は言葉のアートです。しかし同時に句会で点を競い合うゲームでもあります。アートとしての俳句には、こうすべきというルールがありません。むしろルールを破ること、ときにはルールを変更することが重要になります。絵画の世界では画家たちが輪郭を描くのを辞めたときに印象派が誕生しました。彼らは従来の「絵とはかたちを描くもの」というルールを破り、光を描くという新しい世界を生み出したのです。不断にルールを破ってゆく、それがアートの本質です。俳句に話を戻すと名句として必ずあげられる次の作品もルールを破っていました。

古池や蛙飛び込む水の音　松尾芭蕉

芭蕉がこの句を詠んだのは江戸前期。今から三五〇年も前のことです。それ以前の詩歌の世界では蛙といえば河鹿蛙。渓流に棲む鳴き声の美しい蛙です。和歌では鳴き声を詠むのが常でした。ところが芭蕉が詠んだのは普通の蛙。姿がいいわけではなく、鳴いてさえおらず、その上水に飛び込むなんて当時としてはまさに掟破りだったのです。

しかし、一方で俳句はアートではなく言葉のゲームであると捉えることも充分可能です。ゲームであれば逆にルールを守ることが重要。ルールを熟知してプレイすることが勝利に結びつきます。

そこであなたへの質問です。あなたは俳句でアートを目指しますか？　それともゲームの達人を目指しますか？

【あーもんどのはな】アーモンドの花

アーモンド咲く青空へ枝放ち　　片山由美子

「アーモンドの花」が春の季語。日本では目にすることが少ないので通常の歳時記には掲載されていません。海外詠の多い作者らしい季語の使い方です。この句を読むとゴッホの「花咲くアーモンドの木の枝」という絵を思い出します。アムステルダムでこの絵を見たことがあるのですが、はじめ「桜」かと思ったほど、華麗で瀟洒な薄いピンク色の花でした。さてこの絵にはエピソードがあります。一八九〇年一月三十一日。ゴッホの弟のテオとその妻の間に長男が生まれました。テオは兄に手紙でそのことを知らせます。ゴッホは折り返し「今日、吉報を受け取って、言葉で表せないほど嬉しい」という手紙を送ります。それだけでなく、その子のために、青い空を背景にしたアーモンドの木の枝を描き始めるのです。ゴッホの住む南フランスでは二月にいち早く花を咲かせるアーモンド。誕生を象徴するものとしてその花は描かれました。掲句は、「枝放ち」と青空にむかって広がっていく表現を取っています。そのため逸話を知らなくてもどこかすがすがしく、希望にあふれた光を一句から感じ取ることができるのです。

【あいにく】

俳句の世界には生憎と退屈がないといわれます。出かけていて雨が降れば、雨を詠む。雪が降れば雪を詠む。折角のお花見に花が散ってしまっていたら落花を詠む。これが俳人です。普段とは違う景色を楽しみます。自分だけの景色を詠めるのでむしろ好都合です。また、打ち合わせが早く終わってしまい、次の仕事まで三十分あるような場合。中途半端に時間が余ってしまったら、そこでも一句。退屈している暇はありません。俳句は名所旧跡に出かけて詠むだけのものではありません。通りには春風が吹き、自宅の前にも蒲公英が咲いていています。台所には、しらす干しや梅干や葱や大根が並んでいます。これらはすべて季語。特別の場所に出かけなくても、あなたがいる場所が季語の現場です。

【ありがち】

俳句では題材が重要です。平たく言えば、どこに行って何を詠むか。世の中には俳句といえば神社仏閣など、いわゆる風流なものを詠むものと決めている方がいます。しかし現代の俳句の現場では、そうした題材はむしろ避けたほうがよさそうです。独自の視線で切り取らない限り、句会では点が入りません。そこで、寺社を避けて遊園地に行ってみたとします。ジャングルジム、滑り台、砂場、鉄棒などなど。さすがにこれは詠まれていないだろうと欣喜《きんき》雀躍《じゃくやく》（大喜びのことです）して詠みとめます。少々変わった遊具にも目がとまります。地球儀のようなかたちをしていて、つかまると大人が回してくれる、あの遊具は回転ジャングルジムと言います。ただの滑り台ではなく「蛸の滑り台」もあります。これならまだ誰も詠んでいないだろうと、自信満々で俳句を作ります。ところが遊具のほとんどが、実は月並みな素材。古いものを避けて新しいものを詠もうとした結果、誰もが似たような素材に行き着いてしまうのです。一周先回りして最後尾の走者と並んでしまったようなものです。

笑っているあなた。自分だけは違うと思わないでください。「ありがち」の罠は、今ここに口をあけてあなたを待っています。

【いいじまはるこ】飯島晴子（一九二一〜二〇〇〇）

月光の象番にならぬかといふ

覚えておくべき名句を作者とともに紹介してゆきましょう。俳句をアートとゲームに分けるとすれば、晴子の句はまさにアート。たとえば掲句。不思議な言葉が出てきて、読者はいきなり迷宮に連れ込まれます。月光の象番って何？「ならぬか」と言ったのは誰？　晴子は謎に答えず、ただ月光に照らされた象のざらざらとした皮膚の感触と「ならぬか」という言葉の余韻のみをあなたに手渡します。何だかわからないけれども、決して嫌ではない感覚。意味もなく泣けそうになったりする気分。まさにアートの本質に迫る一句ではないでしょうか。

晴子は対談「ものの持つ優しさ」の中で、俳句をジグソーパズルにたとえています。「パズルには必ず当てはまる一片があるが、俳句には必ずしもぴっちり当てはまる言葉は存在しないかもしれない。ジグソーパズルの一種にすべての片が真っ白い牛乳パズルがある。出来上がっても意味が何もない。しかも形は全部がぴっちりとしている。この牛乳パズルが究極の俳句なのではないか」。パズルがぴったりとはまったとき、出来上がるのは真っ白な紙。言葉が完璧に組み合わさった瞬間、意味をなくしてしまう。それが晴子の理想だとすれば、なかなか手ごわい作家と言うしかありません。

【いいたいこと】

俳句をはじめて面食らうのが「言いたいことを言ってはいけない」というルール。じゃあ、何を言えばいいの？　と疑問が湧いてきます。答え。「言う必要はありません。ただ景を描写すればいいのです」

俳句は短い詩ですからメッセージを発信するには向いていません。言おうとすると標語になったり、スローガンになったり。これでは読者の心にしみいりません。読者には感じてもらうことが大切。そのためには描写が有効なのです。映画を思い出してください。いい映画は映像で語りますが、つまらない映画は科白で説明します。どちらが観客の心を打つか、答えは明らかでしょう。

私の印象に残っている映画をあげてみましょう。例えば「二〇〇一年宇宙の旅」。この映画にはセリフが少ししかありませんでした。しかし残した印象は強烈です。映画の冒頭、敵を殺めた猿人が武器として使用した骨を宙に投げ上げます。次のカットで骨は宇宙船に変わります。なんと斬新な映像表現！　映画はこの部分だけで人類の進化という壮大なテーマを語ってしまいます。ちなみにここにはモンタージュという技法が使われています。数百万年の時間をすっ飛ばし、骨と宇宙船を編集によって直接つなげることで、道具というものの過去と未来を示しているのです。このモンタージュ、俳句では「取り合わせ」と呼ばれます。世の中はＳＮＳブームですが、もしあなたが動画の編集に慣れているなら、俳句はうってつけのジャンルです。撮影された映像が俳句における素材。映像の編集が俳句の推敲。俳句はカメラを使わない短編映画です。

【いけないこと】

俳句を始めたばかりの方によく訊かれるのは「〇〇してはいけませんか？」。季語を入れなくてはいけませんか？　五七五をはみ出してはいけませんか？　アルファベットを使ってはいけませんか？　などなど数多くの「いけませんか」が寄せられます。きっぱりと言いますが、俳句でしてはいけないことは何一つありません。ルールはありますが、破っても結構。新たなルールを作っても結構。何をしようとあなたの自由です。ただしルールを破ると、句会でその句が取られる確率が下がります。ただそれだけのことです。おおかたの人たちは案外保守的で、あなたの理解者は少ないかも知れません。でもあなたがどうしても俳句のルールを破りたければ、それを止める人はいません。小島健さんはユーモラスに「(俳句のルールは)忍者の掟ではない」と言っています。俳句の掟を破ったからと言って、追われたりつけ狙われたりすることはありません。

【いちぎょう】 一行

初心者は俳句を大抵三行に分かち書きします。正岡子規の名句を例にとってみましょう。

柿くへば
鐘が鳴るなり
法隆寺

こんな具合。テレビ番組でも大抵三行書きです。しかし、正しいやり方ではありません。

柿 く へ ば 鐘 が 鳴 る な り 法 隆 寺

正しくはこのように一行縦書きです。俳句は江戸時代に流行した俳諧（連句）から発展しました。連句の最初を発句といい、五七五を一行で縦書きにします。そのあとに七七を縦書きし、そのあとにまた五七五を縦書きします。この発句が独立して俳句になったので、今でも一行縦書きなのです。もしも発句を三行書きしたら、俳諧が読みづらいものになってしまいますからね。

では何故、三行書きが流布しているのでしょう。想像ですが、私は教師の皆さんに責任があると思います。あなたは子規の句をどこで習いましたか？　教室で、国語の授業で、先生が板書して。その通りです。黒板は横長です。一行書きにすると左右が余ってしまいます。余白を減らすために三行に書くようになった、そう私は推理しています。ではテレビは？　現在のテレビの横対縦の比は十六対九。黒板と同じように横長です。一行に書くと字が小さく、読みにくくなってしまいます。視聴者には小さな字が読みにくいという方が沢山いらっしゃいます。そこで、やむをえず三行書きにして字を大きくしています。正確さを取るか、見易さを取るか、究極の選択です。このように三行書きには理由がありますが、だからと言って正解という訳ではありません。大人になればわかりますが、世の中とはこうしたものです。

柿くへば　鐘が鳴るなり　法隆寺

付け加えると、五七五のあいだに空白の一マスを入れる人もいますが、これも誤りです。覚えておきましょう。

【いちぶつじたて】 一物仕立て

咲き満ちてこぼるゝ花もなかりけり　　高濱虚子

季語の成分だけで一句が成り立っている句を一物仕立てと呼びます。この句は満開の桜が咲き誇っている情景。俳句の画面に写し出されているのは桜のみ。写真でいえば、満開の桜を見つけ、一花も散っていてはならず、一点の雲もない天候のもと、時間帯も最高で、色も艶もかたちも完璧で、匂うような美しさをたたえた桜。そんなイメージでしょうか。現実の世界ではありえない完全さを俳句の世界では追求することができます。それを成し遂げているのが、虚子のこの句。

動画を撮れば、車や街のノイズが入り込みますし、桜は排気ガスで弱っていて、酔っ払いが根元に寝ころんだりしています。しかし俳句では理想の景色が思いのまま。あなたも黒澤明に簡単になれるのです。

このように威力抜群の一物仕立てですが、類句が多いのが欠点。人の考えることは似たようなもので、自分だけのオリジナルと意気込んでみても既に誰かが同じような句を作っているのがこの世の常。

【いってんごうかしゅぎ】　一点豪華主義

行きつけのラーメン屋さんには具の違いによって色々なメニューがあります。チャーシュー、ネギ、味付け卵、もやし、ほうれん草。付け加えるごとに値段が上がってゆき、全部盛りにすると千五百円にもなります。見た目は豪華ですが、私はあまり好きではありません。具が邪魔しあってスープの味を損なうように感じられてしまいます。

俳句の世界でも、この全部盛りのような句をしばしば見かけます。一言で言えば詰め込みすぎ。句の焦点がぼやけ、何がメインなのか分からなくなってしまいます。反対に見どころのない句もあります。それはそれでつまらないもの。かけラーメンのように少々寂しい。

岸本尚毅さんは「一句の中で面白いところは一か所に」とおっしゃっています。ラーメンでいえばチャーシュー麺。味玉ラーメン。辛ねぎラーメン。どれも一点豪華で美味しそう！　ついでに言えば一句に季語はひとつ。切字もひとつ。俳句は全部盛りではなく、一点豪華主義で。

【いどうしょっと】移動ショット

俳句は言葉の写真と呼ばれることがあります。どちらも一瞬を切り取るもの。確かによく似ていますが、わたしは、さらに進めて動画と捉えてみたいと思います。動画は時間の経過とともに変化してゆきます。俳句の中にも、時間の経過を描くものがあり、従来の「俳句＝写真説」だけでは、説明しきれないことに気づいたのです。俳句を動画と捉えることで、映画評論のように俳句を深く掘り下げて味わうことができるようになります。例えば次の一句。

夏帽子木陰の色となるときも　星野高士

夏帽子は暑さを防ぐためにかぶる帽子。麦わら帽子やパナマ帽、カンカン帽がそれにあたります。「木陰の色となるときも」ということは木陰を出れば空の色。風の色。海の色。主人公の移動にあわせて様々な色に照り映えます。最近では帽子をかぶる男性が減ってしまいましたから、時代は昭和か大正。避暑地の一場面なのかもしれません。パナマ帽であれば、レトロな白い麻のスーツが似合います。これが映画であれば、カメラは主人公にゆっくりとついて動きます。ドリーと呼ばれる撮影手法です。滑らかに動くために、レールを敷いたり防振台付きの車に乗せたりします。移動感を増すために、近くに何かを引っ掛けて撮影します。例えば、近景に疎林を置き、中景に帽子の主人公を歩かせます。カメラの移動にあわせて手前の木が見え隠れし、その向こうの木陰をゆく夏帽子が見えます。遠景には日の当たる山並みがあります。帽子に落ちる木の影が変化し、様々な模様を描きます。移り変わる背景と光が、広大な空間を感じさせます。それだけでなく、明暗が主人公の心理の浮き沈みを表現してもいるのです。

【いのちがけ】　命懸け

宇多喜代子さんに伺った話です。「泉の底に一本の匙夏了る」などの句で知られる飯島晴子は完璧主義者で、命を削るように俳句に取り組んでいたそうです。ある時、吟行で海女小屋に行き、句材を探して歩き回ったことがありました。海女さんは鬱陶しくなって「ちょろちょろしなさんな。こっちは命懸けで仕事している」と叱りつけたとのこと。自重するかと思いきや、晴子はこう言い返したそうです。「こっちだって俳句に命懸けてるのよ」

「俳句に命を懸けてはいけない」と、宇多さんは笑いながらおっしゃっていました。「俳句はそういうものではない。久保田万太郎のように余技で作る人もいる。それで良い。あまり真剣になると余裕がなくなる」と。

晴子は俳句を初めたのが遅く三十八歳のときでした。句会に夫の代理で出席したのがきっかけだったそうです。スタートの遅さを取り返そうとして、命懸けで俳句に取り組んだのでしょうか。晩年は病を得て、七十九歳で自ら命を絶ちます。晴子の生涯を知ると「命懸け」の言葉の重さにあらためて気づかされます。

【いまここ】

俳句は「いまここ」の文学だと言われます。人は未来を思えば不安になります。過去を顧みれば後悔に苛まれます。しかし、私たちが生きているのは「いまここ」。いつか、どこかではありません。いまここを詠むことで、俳句は力強くなり迷いがなくなります。それは私たちの存在証明でもあります。櫂未知子さんはこれを発展させた「今彼」理論を提唱しています。恋愛では過去の彼を振り向かず、現在の彼に集中すべき。「別れたら次の人」と割り切るドライさが成功の秘訣です。俳句もそれと同じ。「別れたら次の季語」です。

句会に出す句も同様です。今を詠むか、あるいは少し先を詠むか。なぜ先を詠むのがいいか。理由があります。走り茶、走り藷《いも》、走り蚕豆《そらまめ》、走り蕎麦など、日本語には「走り」がついたものが沢山ありますよね。季節に先立ったという意味で、珍重されます。人よりも早く手にすることは小さな喜び。粋で洒落たことなのです。逆に季節に遅れるのは野暮。過ぎた季節の句を句会に出してもスルーされてしまいますよ。

走り茶の針のこぼれの二三本　石田勝彦

【うごく】動く

俳句で「動く」と言われたら季語のこと。他の季語でも代替できるという意味です。主に作品を非難するときに用いられます。何故なら、季語が一句の中心と考える人びとにとって、動くとは主役が定まらない芝居のようなものだからです。では、季語が動くとは具体的にどういう句なのでしょうか。秋の終わりに、都電荒川線の沿線を吟行したときの私の句です。

葬儀社と豆腐屋並ぶ秋の虹　蜂谷一人

葬儀社と豆腐屋と言う全く関係のない職種のお店が並んでいるのを見て、面白いなと思いました。勿論葬儀も、豆腐も季語ではありませんから、何かの季語を斡旋しなくてはなりません。(「新豆腐」は秋の季語ですが)。店が並ぶ様子から、二箇所を結ぶ虹を連想し「秋の虹」としてみました。「虹」だけなら夏の季語ですが、秋の吟行ですので「秋の虹」。歳時記によれば

「秋の虹は色が淡く、はかなげである」とのこと。この句の場合は、特に淡い風情は感じられません。むしろ葬儀社の黒と、豆腐屋の白で鮮やかなコントラストが見えてしまいます。季語が動くとは、こういうケースです。吟行では、目の前の風景に引っ張られて適当な季語が見つからないことがよくあります。こんな時は少し時間をあけ頭を冷やしたほうがよさそうです。

もう一句例を挙げましょう。こちらは「俳句さく咲く！」で東京パフォーマンスドールの上西星来さんが詠んだ句です。

春雨や色変わりたる木のベンチ　　上西星来

雨に濡れた木のベンチの色が変わっています。この句を詠んだ時、星来さんは俳句歴一年。よく観察しているなと感心します。ただし、この句も季語が動きます。春雨だけの特徴が一句の中に捉えられていないからです。春雨でなくとも、夏の夕立でも、秋の秋霖（秋の長雨）でも、冬の時雨でも、やはり濡れたところの色が変わります。そうなると春雨の句としては評価が下がってしまいます。では、どうしたらいいでしょう。例えば、

春雨や淡くなりたる木のベンチ

「色変わりたる」を「淡くなりたる」と変えてみました。こうすると、春雨の明るく静かな

イメージの幾分かを想像させることができます。少なくとも夕立では、淡くはならないでしょう。俳句を作る際には、このように他の季語を入れてみて、動くかどうか検証する必要があります。それが出来ればあなたも一人前の俳人です。

ところで季語は動いてもいい、と考える俳人もかなりいます。だから俳句はややこしい。ではどうするか。とりあえず「動かない」俳句を目指してください。暫くやってみて、自分なりの俳句観が養われたらそのとき、もう一度、動く、動かないを選択してください。じゃあ、いつ俳句観が養われるのか？　五年？　十年？　いえいえ、客観的な基準はありません。時には根拠のない自信も必要ですよ。

【えがかれたきご】　描かれた季語

季語に対する俳人たちの論は少しずつ異なっていて、統一的な見解はありません。季語はなくても構わないとする人もいれば、必須だという人もいます。その中間に様々な条件が提示されていて、いわば百家争鳴の状態です。

あるときNHK文化センターで「まのあたり句会」というイベントがあり、私も参加しました。メンバーは今井聖さん、櫂未知子さん、髙柳克弘さん、それに私。「NHK俳句」の選者と制作者が一堂に会するという企画です。その席で髙柳さんが発表した句。

舞台に幕張るや五月の海として　髙柳克弘

今井さんは「重大な問題意識の隠れた句」と指摘しました。舞台の幕は、本物の海ではありません。それを季語と呼ぶことができるのか。今井さんは認められるという立場。勿論、作者の髙柳さんも。一方、櫂さんは「私は現物主義」と主張。季語とは認めません。私自身は櫂さんを支持しました。四人の選者の意見が、真っ二つに割れてしまったのです。言葉としての季語に関心を持つのか、あくまで実物の季語にこだわるのか。ここには俳句観の違いがくっきりと現れています。私見ですが、俳壇全体では現物主義が七割くらい。しかし若手になればなるほど、言葉派が増えてゆくように感じられます。結論の出ないこの論争、あなたはどちらに一票を投じますか？

【お】

お茶、お水、お手、お子様ランチ。お日様、おみ足、なんてのもあります。日本語には「お」がつく言葉が沢山ありますよね。「俳句さく咲く！」で塚地武雅さんが詠んだ句にも「お」が入っていました。

松茸のお吸い物飲み秋思う

選者の櫂未知子さんから、「松茸」も「秋思」も秋の季語。季重なりのうえ、「お」が不要と指摘されました。俳句では丁寧の気持ちを表す接頭語「お」を使いません。お吸い物ではなく、吸い物。お茶の花ではなく、茶の花。「茶の花」は冬の季語ですが、「お茶の花」とした句をよく見かけます。季語に接頭語の「お」がついたものはありませんので、どうぞご注意を。

ちなみに「御御御付」何と読みますか？　御が三つもついた究極の丁寧表現ですよね。「おみおつけ」と読みます。味噌汁のことです。

【オノマトペ】

雨がざあざあ、犬がわんわんといったことばをオノマトペと言います。中でも「ざあざあ」などの状態を表すことばを擬態語、「わんわん」などの音を表すことばを擬音語といいます。俳句の入門書には必ずオノマトペの章がありますが、私は疑問に思っています。初めのうちは避けたほうがいい、というのが私の意見。何故ならオノマトペを使いこなすのは大変難しいからです。

私自身、トラウマがあって長い間オノマトペを使えませんでした（今では恐る恐る使っていますが）。ある句会でオノマトペの句を出したところ、先輩から「僕は取らない」とたしなめられた経験があるからです。その方が言うには「俳句は十七音。季語と切字で五音。残り十二音しかないのに、オノマトペで四音取られるのはもったいない」。

確かに、月並みなオノマトペで四音取られるのは痛い。用いるからには、これまで誰も使わなかった言葉でなくてはなりません。しかし初めのうちはどれが使い古されていて、どれが新しいのか判断が難しい。経験を積み多くの句に触れて、ありふれているかどうかがわかるのです。だから当面使わない方がいい。

と言ってしまうと身も蓋もないので、ひとつ裏技をお教えします。

大鯉のぎいと廻りぬ秋の昼　岡井省二

掲句の「ぎい」がオノマトペです。「ぎい」というと何を連想しますか。たとえば錆び付いたドア。きしんだ舟の櫓。そうですよね。普通、鯉には用いません。こんな風によくあるオノマトペを違う場面で用いることで、二つの効果が期待できます。

まず、ありふれた表現から抜け出せること。次に、連想が広がること。掲句の場合、きしむ音を連想させる「ぎい」という言葉のおかげで鯉が舟のように大きく、ゆっくりと廻る場面が想像されました。新しいオノマトペを自分で作り出すのは至難の技。でも、すでにあるものの使い方を変えることは少しの努力で出来るはずです。

【おんすう】音数

俳句は十七文字の芸術とよく言われますが、誤りです。正しくは十七文字ではなく十七音。和歌が三十一文字と呼ばれることから生じた誤用でしょう。

じゃんけんで子どもたちが遊んでいます。グーはグリコ。チョキはチョコレート。パーで勝てばパイナップル。音数だけ歩を進めます。私もよくやりました。グリコは三音でいいとして、チョコレートは六音だと思っていませんでしたか。正しくは五音。チョは一音。チヨと二音に数えたために生まれた間違いです。ではパイナップルは？　六音が正解。俳句ではパイナポーではなく、パイナツプルです。音の数え方にはルールがあります。「ちゃ」「ちゅ」「ちょ」のような小さい「や行」がはいっているのは一音として数えます。「きゃ」「きゅ」「きょ」や「ぴゃ」「ぴゅ」「ぴょ」も同様。小さな「っ」も一音。「ん」は一音。伸ばす「ー」も一音。ですから、アーノルドシュワルツネッガーは十三音です。

【か】行

【が】 助詞

主格を表す「が」。私が、僕が、彼が、彼女が。現代文では大変よく使いますが、俳句での使用は慎重に。濁音はひびきが美しくありません。乱暴に言ってしまえば大抵の場合「の」に置き換えられます。「が」を使いたくなったら、「の」で言い換えてみましょう。それでよくなったと感じたら、「の」が正解。それでも「が」の方がよいと感じたら「が」が正解です。

青 鷺 の 棒 と な り た る 水 辺 か な
青 鷺 が 棒 と な り た る 水 辺 か な

【がいらいご】 外来語

外来語はハードルです。使うと間違いなくハードルが上がります。つまり高得点を得るのが難しくなります。カタカナを俳句に詠みこむことを嫌う先生方がいらっしゃるからです。俳句は日本の文芸ですから、外来語はうまくなじまないというのです。しかもコンビニエンス・ストアをコンビニ、スマートフォンをスマホと略すなど論外とか。ところがそういう方がデパート、テレビなどのカタカナを平気で使っています。デパートメント・ストア、テレビジョンでは長すぎて俳句に用いづらいのでしょう。さらに歳時記にはナイターなどの和製英語もちゃんと載っています。英語ではナイターではなくナイトゲームなのに。結局のところ、耳に違和感のある外来語は駄目。安易な略語はもっと駄目。でも、ある程度の歴史を持ち、日本語として受け入れられていれば変な英語でもOKということなのでしょう。

その理由について考えてみましょう。あなたは自分の作品を何年先に残したいですか？　そう問われたらなんと答えますか？　一年？　十年？　百年？　一年先が目標なら、スマホを使うのにためらうことはありません。一年後にもスマホはちゃんと残っています。では十年後？　スマホがあるかどうかちょっと怪しくなってきました。十年前といえばスマホは出たばかりで多くの方が携帯電話、今日のガラケーを使っていたはずです。百年前？　勿論スマホもコンビニもこの世に存在していなかったでしょう。もしもあなたが百年後に作品を残したいなら、安易な外来語は駄目。外来語は和語とくらべて消えてゆくのが早いのです。百年後の人が理解できない言葉を使用した句が、百年後に残る筈がありません。ちなみにトリノ・オリンピックでフィギュア・スケートの荒川静香さんが金メダルをとったとき、日本中の俳句愛好者がイナバウアーを詠みました。覚えていますか？　身体をそらせて滑る技の名前です。トリノ・オリンピックは二〇〇六年。すでに知らない世代も増えてきました。あなたは今、イナバウアーを詠む勇気をお持ちですか?

【かし】　歌詞

初心者の俳句で多いのはJ-POPの歌詞に似たもの。「会えてよかった」「生まれてよかった」「苦しいけれど頑張ろう」的なフレーズを数多く見てきましたが、ことごとく失敗。歌詞と俳句は別物と頭に叩き込んでください。「だって、それが言いたかったんだもん」とあなたは言うかもしれません。でも、それはあなたのオリジナルですか? どこかで聞いた歌詞に影響されていませんか? J-POPは、多くの人の共感を得られる言葉を計算ずくで使っています。一方、俳句ではあなただけの表現や独創的な言葉が尊ばれます。

【かちょうふうえい】　花鳥諷詠

高濱虚子は俳句の理念を花鳥諷詠、その方法論を客観写生という言葉で表しました。これが難しい。いえいえ、言葉としては難しくないのですが、意味しているところが難しい。なんというか「Don't think! Feel」と言われているような感じ。これってブルース・リーの「燃えよドラゴン」の名セリフですよね。何か凄いことを言われているのはわかるんですが、正確には理解できない。ここに俳句の難しさと凄みが凝縮されているといってもいいでしょう。

でも何とか説明を試みてみましょう。まず客観写生は、虚子独特の表現で主観と客観が混一したもの。虚子自身はこう語っています。「繰り返しやっておるうちに、その花や鳥と自分の心が親しくなって来て、その花や鳥が心の中に溶け込んで来て、心の動くままにその花や鳥も動き、心の感じるままにその花や鳥とも感じるというようになる。そうなって来るとその色や形を写すのではあるけれども同時にその作者の心を写すことになる。それが更に一歩進めば客観写生となる（原文は歴史的仮名遣い）」。もののかたちを写す写生から一歩進んで、心を写すということが入ってきます。敢えて言えば、心の眼で見た写生ということでしょうか。

花鳥諷詠の方は、さらにわかりにくい。花鳥は自然、諷詠は詩を作ったり声に出して吟じたりすること。しかし、それだけでは納まらない大きな意味のある言葉のようです。何といっても俳句の基本理念ですからね。ためしに、学校の先生にその意味を尋ねてみてください。自然を愛でて詩を作ること、くらいは教えてくれても、それ以上食い下がると「一言では言えない」「君にはまだ早い」とか、かわされてしまうかもしれません。

虚子自身は花鳥諷詠についてこう述べています。「春夏秋冬四時の移り変りに依って起る自然界の現象、並にそれに伴う人事界の現象を諷詠するの謂《いい》であります」

人事を含めるというところがポイントですね。人間もまた自然の造化の一部であるという日本の伝統的な思想に基づく言葉だったわけです。今日、多くの俳人たちが人事のことを忘れ、あるいは意図的に無視して、花鳥に代表される日本の自然の情趣を詠ずることと解釈しています。そのため、人事や社会の変化に超然とした俳句が数多く詠まれるようになりました。しかし、それは虚子の意図とはやや異なっていたのです。

さて花鳥諷詠について虚子が残した句があります。

明易や花鳥諷詠南無阿弥陀

なかなか解釈の難しい句です。「明易」は，夏の夜明けが早く訪れるさま。夏の季題（季語）「短夜」の傍題です。この句について後に研究座談会で虚子に質問が飛んだそうです。虚子は「この句は何がどうというのではないのですよ。信仰を現しただけのものですよ。我々は無際限の時間の間に生存しているものとして，短い明け易い人間である。ただ信仰に生きているだけである，ということを言ったのです」と答えたそうです。ますます、わからなくなる答えです。あえて解釈すれば、「人生は夏の夜のように短い。私は花鳥諷詠という信仰を持って生きてゆく」こんな意味になるのではないでしょうか。虚子は先の問答に続いて「花鳥諷詠と南無阿弥陀は並列にお考えになっておられますか」と問われ、きっぱりと「おなじように考えています」と答えています。ならば花鳥諷詠は祈りの言葉と解釈したほうがよいのかも知れません。花鳥諷詠を考えるたびに、私が思い浮かべる逸話があります。あるところに親切な神様がいて、願い事を何でもかなえてくださいます。ところが耳が遠く、しかも年々聴こえにくくなっているようなのです。祈っても祈ってもなかなか神様には届きません。聴こえさえすれば、願い事が叶うのになんという悲劇でしょう。しかも、かすかな声を聞き間違えて願ってもいない奇跡を起こしたりするので、事態はまことにややこしくなっていきます。花鳥諷詠とはこの耳の遠い神様のようなもの。私たちは一心に祈りますが、それで願いが叶うことは滅多にありません。

【かつらのぶこ】 桂信子（一九一四～二〇〇四）

たてよこに富士伸びてゐる夏野かな

信子は伝統的な花鳥諷詠に反対する新興俳句の流れを汲みながら、平明で情感のある句を作りました。

窓の雪女体にて湯をあふれしむ

など自身の肉体にこだわったエロティシズムに溢れた作品が知られていますが、晩年は掲句のような即物的、硬質な句へと転換しました。

「夏野」とは歳時記によれば「百草が生い茂り、草いきれでむせかえるような野原」のこと。旺盛ないのちの営みの舞台です。果てしなく広がる夏野の向こうに聳える富士山。富士は独立峰で標高三七七六メートル。しかし、裾野はその何倍も広いのです。それを、「たてよこに」という五文字で言いとめて過不足がありません。仮に「たてに伸びてゐる」だったら、マッターホルンのような急峻な山塊を想像してしまうでしょう。「たてよこに」だから、富士の特徴的なあの姿が目に浮かぶのです。

【かな 1】 切字

俳句には切字があり、多くの初心者を悩ませています。これがあるからこそ、たった十七音で森羅万象を表現出来る魔法の杖のようなもの。でも魔法とおなじで使いこなすには修行が必要です。「や」「かな」「けり」の三つが代表的なものですが、ハイクロペディアは五十音順なのでまず「かな」から始めましょう。

「かな」は最もゴージャスな切字。句の最後に使われることが多いため、ドレスシューズやパンプスのように足元を引き締め、正装を際立たせます。それだけに、カジュアルな句に用いると、ジーンズにエナメル靴を合わせるようなチグハグさが目立ってしまうので要注意。

「かな」は詠嘆ですが、そう言われてもイメージがつかみにくいと思います。私の生業はテレビ番組制作ですので映像的に解説してみましょう。映像の世界には「白飛ばし」という技法があります、映像の最後がじわっと白くなる編集法です。通常の編集点とは異なり、映像の終わりの感じが強く出ます。映画や番組の最後に使われた白飛ばしをご覧になった方も多いでしょう。これが「かな」の効果です。強い余韻をもって一句の最後を引き締めます。桜のような三音の季語であれば下に「かな」をつけると、下五にぴたりとおさまります。


さまざまのことおもひ出す桜かな　　松尾芭蕉

桜の例句として必ず歳時記に掲載されています。するりと読み下せば、桜が思い出しているようにも取れます。しかし勿論、思い出すのは私。さまざまなことを思い出すなあ、桜を見ていると。こんな意味になるでしょう。一体どういう構成になっているのでしょうか。もう一句あげてみます。

遠山に日の当りたる枯野かな　高濱虚子

日が当たっているのは遠山ですか、それとも枯野ですか？　多くの方が「枯野」と答えるでしょう。「当たりたる」は連体形。連体形は続く名詞を修飾します。だから「枯野」にかかる、筈ですよね。一見正しそうですがこれも間違い。正解は遠山。遠山に日が当たっているなあ、枯野の向こうでは。こんな意味になるのです。

実は俳句独特のレトリックが隠されています。形の上では後ろの名詞につながってゆくように見せて、意味の上では軽く切れている。高等テクニックですが、いつかは使いこなしたい技法の一つ。桜の句でも遠山の句でもいいのですが、丸ごと覚えてしまうことをお勧めします。そうすれば型が自然に身につきます。それが偉大な魔法使いへの第一歩です。

【かな 2】 切字

切字「かな」は下五に置くのが原則。しかも名詞につきますから、三文字の名詞でないとうまくはまりません。

上五＋中七＋三文字の名詞＋かな

　オムレツが上手に焼けて落葉かな　　草間時彦

「落葉」という三文字の名詞に「かな」がついてぴたりと着地が決まりました。席題で作るとき、四文字の季語なら上五に置いて「や切り」をまず考えます。三文字の季語なら下五に置いて「かな」で終わることを目指します。

　さて先日の句会でこんな句が出ました。

　散水の眩しくなりぬ春日かな　　神奈

「散水」が夏を思わせますし「春日」が春の季語ですから季重なりのように見えます。しかし「打水」は歳時記の夏に分類されていますが、「散水」の記載はありませんからひとまずセーフとしましょう。問題は切れ。

　掲句は、「眩しくなりぬ」と「かな」の二か所で切れているのがわかりますか。句の途中に終止形や切字があれば切れます。一句の中で切れは一か所だけというルールがありますから、これはまずい。ではどうするか？

散水の眩しくなりし春日かな

「なりぬ」の部分を「なりし」と名詞につながるかたちに直してみました。これで切れの問題は解決しましたが、少々問題もあります。

「なりし」の「し」は過去を表すことばなので意味が少々変わってしまいます。

散水の眩しくなれる春日かな

「なれる」としてみました。「る」は完了を表します。ちなみに原句「なりぬ」の「ぬ」も完了。どちらも完了ですから、時制の変更もなく、まあまあましな形になりました。

ちなみに「なりぬる」と直すことも可能ですが、中八になってしまいます。俳句の中八は初心者がやってはいけない反則。涙を呑んで諦めましょう。このように添削とはいくつもの可能性の中から次善の一手をさぐる作業。必ずしも最善とは言い切れないところが悔しいところです。

【かなづかい】　仮名遣い

仮名遣いには現代仮名遣い、通称現かなと、歴史的仮名遣い、通称旧かなの二種類があります。現かなは戦後普及した仮名遣いで、今日私たちが一般的に使っているもの。新聞や雑誌、教科書もこの仮名遣いで書かれています。一方旧かなは戦前に用いられていた仮名遣いで、例えば漱石を原文で読むとこれが用いられています。どちらを使うのもあなたの自由ですが、統一する必要があります。

と簡単に書きましたが、実作者としてはどちらにするか悩むもの。私自身も悩んで、師匠である夏井いつきさんに相談したことがあります。夏井さんの答えは至ってシンプル。「内容に合わせて選べばよい」このアドバイスに従って、私は旧かなを用いることにしました。理由は俳句の切字です。や、かな、けり、を代表とする切字は俳句の重要な要素ですが、どれも文語です。文語と旧かなは相性がよく、切字を使う場合旧かなを選ぶ人が多いのです。ちなみに文語とは、中学高校で習った古文の文章です。文語に対するものとして口語があり、これはいわゆる喋り言葉。現代文で使われています。

江戸時代、書き言葉はすべて文語旧かな。例えば手紙は候文で書かれていました。ところが庶民が候文で話していたわけでなく、今日歌舞伎で見るようにもっとくだけた話し方をしていたのです。そこで明治に入ると言文一致運動が起こります。言文一致とは書き言葉を普段話している通りに書き直そうというものです。簡単にいえば候を、です、ます、だ、である、に置き換えたわけです。当時としては画期的でしたが、現代ではこの言葉の革命を当たり前のものとして受け止め、誰もが口語現かなで手紙を書いています。

さて現代の俳人たちは、文体・表記をどうしているでしょうか。池田澄子さんのような口語の俳人は現かなを使い、片山由美子さんのような文語派は旧かなを用いることが多いようです。

じゃんけんで負けて蛍に生まれたの　池田澄子
さましゐて冷ましすぎたる葛湯かな　片山由美子

実は表記はこの二種類だけではありません。①口語現かな、②文語旧かなに加えて、③文語現かな、④口語旧かなの四種あります。作品を読むときそこにも注目して、それぞれの作者が選択した理由を考えてみてください。もしも池田澄子さんが「じやんけんに負けて蛍に生まれけり」と文語旧かなで句を作っていたら、受ける印象は随分違っていたでしょう。この四択、あなたはどれを選びますか。

【かみごなかしちしもご】 上五中七下五

俳句は五七五。はじめの五文字を上五。真ん中を中七。最後を下五と呼びます。突然ですが今、あなたは仕事を終え家路に着きました。ふと見ると新しく出来たラーメン屋さんがあります。美味しそうなので、ふらふらと吸い込まれます。メニューをじっくりと研究し、五百ミリリットルの生ビール中ジョッキと一皿七個の餃子、それに五百円のラーメンを注文します。五百ミリリットル、七個、五百円。わざとらしい数字が並んでいますが、気にしないでください。この夕食がわびしいのか、大満足なのか、それは料理の出来栄えによります。ビールがきんきんに冷えていて泡の状態も申し分なく、餃子は肉汁たっぷり、ラーメンは麺とスープの相性が抜群だとします。ならばこの夕食をあなたは心から楽しむことができるでしょう。その反対なら、きっとあなたは店に文句を言いたくなる筈です。勿論礼儀正しいあなたはそんなことはせず、店の看板を蹴飛ばして立ち去るだけでしょうが。このラーメン屋さんが俳句です。同じラーメン餃子でも、一時間並んでも食べたいものと、お金をもらっても願い下げの代物がありますよね。それが名句と駄句の違いです。

出てくる順番も重要です。通常はビール、餃子、ラーメンの順でなくてはなりません。まず冷えたビールをぐびっ。しかる後に熱々ぱりぱりの餃子。〆のラーメン。これが定型です。もし、ビールより先に餃子が出てきたら？　軽い食感のジューシーな餃子なら気にしないかも知れません。ビールがちょっとぐらい遅れても待つ余裕があります。でもラーメンが最初に出たら？　あなたは店主の胸ぐらをつかんで「これはないだろ、ちょっとくらい考えろよ」というでしょう。

物事には順序があります。このビール、餃子、ラーメンの順が定型の五七五です。しつこいようですが、五百ミリリットル、七個、五百円。餃子が一番先に来た場合は七五五。上五の字余りになります。ではビール、餃子の順に来たものの餃子が七個ではなく八個だったら？　これが中八です。少々食べ過ぎです。もうラーメンが入りそうにありません。七個と八個、わずかな違いですが、印象は大きく異なります。お腹にもたれます。食傷気味なのでラーメンまでまずく感じてしまいます。中八が忌み嫌われる理由です。

ビール、餃子とつつがなく進行し、ただ最後のラーメンが六百円だったとします。あなたは「このラーメン、五百円かと思ったら六百円だったのか。高いけれどまあ仕方ないや」と思うでしょう。許容はしますが、少々もやもやしたものが残りますよね。これが下六です。下五から一音多い状態です。ラーメンが期待より美味しかった場合のみ、下六は我慢できます。また来ようと思わせるには、百円分の値段にふさわしい味が必要です。

上五の字余りは許容。中八は厳禁。下六はよく考えて。

さてビールを季語（夏）にしてこのラーメン屋さんを俳句に詠んでみましょうか。定型なら、

十 席 の 店 に 一 人 や 生 ビ ー ル

上五の字余りなら、

チャーシューメンの肉がつまみや生ビール

中八なら、

まづ開く写真週刊誌生ビール

下五の字余りなら、

とりあへずビール注文頬杖つき

【かみにだんかつよう】　上二段活用

初めて文語を使う場合、間違えやすいものに動詞の活用があります。例えば「落ちる」とい

う動詞を辞書で引いてみましょう。『広辞苑』では、「お・ちる〔落ちる・墜ちる・堕ちる〕（自上一）」とあります。最初の「お・ちる」は読み方。次は漢字。自上一は自動詞上一段活用を表しています。ここまではすべて口語。本稿で重要なのはその下。「文お・つ（上二）」とありますよね。「文は」文語を表す記号。文語では「おちる」ではなく「おつ」だということを示しています。「上二」は上二段活用の略。文語「落つ」は次のように変化します。

落ちず　〔未然〕
落ちけり　〔連用〕
落つ　〔終止〕
落つること　〔連体〕
落つれば　〔已然〕
落ちよ　〔命令〕

「落」の後を見てください。「ち・ち・つ・つる・つれ・ちよ」たちつてとの「ち」と「つ」の二段に渡っていますよね。だから上二段活用と呼ばれます。ローマ字にすれば、

ti ti tu turu ture tiyo

文語「起く」ならば、

起きず　〔未然〕
起きけり　〔連用〕
起く　〔終止〕
起くること　〔連体〕
起くれば　〔已然〕
起きよ　〔命令〕

「起」の後は「き・き・く・くる・くれ・きよ」。ローマ字にすれば、
ki ki ku kuru kure kiyo
「落つ」も「起く」も子音のｔとｋが違うだけであとは同じ。
i i u uru ure iyo　子音を変えればすべての上二段動詞にあてはまります。

【カメラワーク】

ここでは十七音の俳句を、十七秒の動画と捉えてみます。動画の撮影ではまず、どういうスタイルにするかを考えます。それに伴ってカメラの用い方が変化するからです。俳人の鴇田智哉さんは、俳句におけるカメラワークを考察していますが、ここではそれを踏まえながらカメラの用い方について考えてみます。

あれを買ひこれを買ひクリスマスケーキ買ふ　三村純也
霜掃きし箒しばらくして倒る　能村登四郎

クリスマスケーキの句では、「あれを買ひこれを買ひ」でカメラがいろいろな店に立ち寄って買い物をしながら、最後にケーキ屋にたどり着く様子を思い浮かべます。この映像、何か思い当たりませんか。BSの人気番組「世界街歩き」のカメラワークに似ています。イメージでいうと旅人が目の位置にカメラを構えて歩き、興味のあるものを次々に写して行く手法です。映像の世界ではこうした手法を「主観カメラ」と呼びます。

これに対して箒の句の方は、一部始終を離れたところから見ています。例えば寺を想定してみましょうか。僧が境内の霜を掃いた。その箒をどこかに立てかけた。しばらくして箒が倒れた。こんな時系列になります。誰かが、どこかからこの光景をじっと見つめているわけです。普通のカメラマンなら置かないような場所にカメラを設定して、長時間写し続けるもの、ありますよね。そう、防犯カメラです。電柱やコンビニに設置してあるやつです。

つまりクリスマスケーキの句は街歩きカメラ。箒の句は防犯カメラ。カメラの用い方によって映し出される映像、つまり俳句が異なることがわかっていただけたでしょうか。ちなみに能村登四郎には「春ひとり槍投げて槍に歩み寄る」という句もあって、防犯カメラを意識的に用いているようにも見えます。

【かりかつよう】　かり活用

文語では形容詞の活用に「かり」がつきます。否定の「ず」や切字の「けり」を伴う場合などに用います。

例えば「多し」の場合、

多からず（未然）　多かりけり（連用）

「うれし」ならば、

うれしからず（未然）　うれしかりけり（連用）

馴染みが薄いせいか、投稿などに多くの間違いが見られます。よくあるのが「うれしけり」という表現。正しくは「うれしかりけり」としなければなりません。さらに「かり止め」にも注意。「かりけり」としなければいけないのに、字数の関係からか「かり」で終わってしまっているケースも多々見られます。石川啄木の有名な歌、

かにかくに渋民村は恋しかり
おもひでの山
おもひでの川

にも用いられている表現ですが誤用。名歌だからといって無条件に信用してはいけません。

【かんじ】　幹事

句会や吟行には幹事が必要です。句会の会場の予約や用紙の用意。吟行の行き先や集合場所、時間を決めるのは幹事の仕事です。吟行とは俳句をつくるため景色のよいところや名所旧跡な

どに出かけること。どこに行ってもいいのですが、何故か幹事は神社仏閣が大好きで大抵そういう場所が選ばれます。そうすると、場所が古臭いから月並みな句しか詠めなかった、と悪口を言われます。ちなみに「月並み」とは平凡すぎてなんの取り得もない句を上品に呼ぶときの言葉です。多くの幹事は抗議を無視しますが、たまに良心的なひとがいると一念発起して野球場とか動物園とか美術館とか毛色の変わった場所を選んだりします。すると今度は、人工的な場所の中では季語が見つからず、いい句が詠めなかったと泣き言を言われます。

やってみるとわかりますが、古臭くも人工的でもない場所を探そうとするとなかなか難しく、例えば海水浴場などを提案すると、遠い、お金がかかる、暑い、混んでいる、泳げない、水着がない、日に焼ける、若者ばかりだ、腰が痛い、忙しい、などたちまち十ばかりの問題点が指摘され行き詰まる結果となります。更に雨が降ったり、雪になったり、お天気ほどあてにならないものはありませんが、何か不都合があると非難されるのは幹事。仮に吟行がうまくいったとしても次に句会の会場を確保しなければなりません。会議室を借りるとお金がかかり、公民館を申し込むと既に予約でいっぱい。運よく空いていても畳の部屋は膝が痛いから嫌だと文句を言われます。喫茶店は狭くてうるさく、居酒屋は酔っ払って暴れるひとが現れます。このように吟行の幹事には多くの責任がのしかかりますが、報酬はなく感謝されることもありません。

海に行かぬ十の理由や冷奴　蜂谷一人

【かんしょう】鑑賞

鑑賞で心がけるべきことは「丁寧」です。丁寧とは、句の一文字一文字を厳密に読み解いてゆくことです。例えば「てにをは」。「○○に」と書いてあるが厳密には「○○へ」とすべきではないか、などと丁寧に読んであげます。助詞の「に」は場所、「へ」は方向ですから意味が随分違います。しかし多くの初心者はごっちゃにしています。この「丁寧」の反対が「親切」です。人に親切にするのはよいことですが、俳句では親切に読んであげてはいけません。親切とはそこに書かれていないことを頭の中で補い、作者の意図を忖度して鑑賞することです。それはあなたの妄想であって、作者が表現できたことではありません。この丁寧と親切を混同するといつまでも上達しません。

もうひとつ大切なこと。鑑賞は「季語がどう働いているのか」を中心に。一句の中心が季語だとすると、その働きを読み解くことで句の構成が理解できるようになります。

さて、先日句会で次の句が出されました。

焼香のあとの青空鳥交る　福花

この句を選んだある人は「鳥交る」を行き交う鳥と読みました。しかし、それでは青空の広がりしか見えてきません。何故焼香なのか、曖昧になってしまいます。実はこの句の季語は「鳥交る」。春から初夏にかけて野鳥の繁殖期に鳥が盛んに囀り交尾をすることです。繁殖の季語と解れば、焼香との対比がはっきりとします。死と生という詩の普遍的なテーマに気づくことで、一句をより深く理解できるようになるのです。

【かんようく】慣用句

銀杏が道に散り敷けば「銀杏の絨毯」。テレビや新聞でよく見る表現ですが、俳句で使ってはいけません。こうした慣用句はあなたが作った言葉ではなくオリジナリティーがないからです。俳句はわずか十七音。季語と切字で五音取られると十二音しか残りません。その十二音にオリジナリティーを詰め込むのが俳句。そこに慣用句を入れると、あなただけの表現は入る余地がありません。新聞の受け売りで職場やご近所の話題を独占しているあなた。俳句の世界ではそれは命取りとなります。

【きがさなり】 季重なり

一句の中に季語を二つ以上使うことを季重なりといい、避けるべきとされています。狙いが分散し一句の中心が曖昧になってしまうからです。しかし季重なりでも、季語の主従がはっきりとしていて主の季語がきちんと働いていれば構わないとされています。そうは言っても季語が三つ以上となると論外。そういうと必ず、

目には青葉山ほととぎす初鰹　山口素堂

はどうなんだ、という方が現れます。素堂は江戸中期の俳人。そもそも江戸時代には歳時記が今ほど整備されていませんでした。季語の数も少なく、季重なりという概念もあまり意識されていなかったようです。季重なりがはっきりと避けられるようになったのは明治以降のこと。

あるとき番組にみえたゲストが「正岡子規はけしからん」と憤慨なさっていたことがあります。子規のおかげで俳句が堕落したとのこと。季重なりを厳しく言うようになったのは子規のせい。皆が集う座の共同作業から生まれた俳諧（連句）が衰退し、個人の作品として発表する俳句が隆盛をみたのも子規の責任だというのです。子規の功罪はともかく、季語が二つ三つ平気で入っていた時代の大らかさに私も憧れます。

季重なりは現代でも許容する俳人もいますから一概には言えませんが、初心者のうちは避けたほうが無難。たとえてみれば、就職活動の会社訪問のようなもの。リクルートスーツなら一色でコーディネートが完成。これが季語一つの世界。面白くないかもしれませんが減点にはなりません。一方、季語を二つ入れるのは、ジャケットとパンツ。それもアリだとは思いますが、コーディネイトのセンスが問われます。

【きご】 季語

季語を通して季節を実感し、自然の奥深さに触れることが出来ます。雪月花などももともとは和歌の題詠に詠まれた言葉で、千年以上もの歴史を持っています。和歌から連歌に受け継がれ、室町時代には三百ほどが『連歌至宝抄』という本に載せられています。連歌は俳諧（連句）へと発展し、季語の数もふえてゆきました。江戸末期には三千、今日ではおよそ八千とも言われます。かつては四季を代表することばだけでしたが、今日では季節のはざまや微妙な季節感まで表現できるようになりました。夏なのに秋の気配が漂う夜を意味する「夜の秋（夏）」などが新しい季語です。さらに「冷蔵庫」や「ナイター」など新製品や横文字が加わりました。今日では東北の「やませ」、沖縄の「うりずん」など地方独特の気象用語なども加わって、季語の世界を豊かにしています。美術の世界では最初シンプルだったものに、色々な要素が付け加わって巨大化してゆくことをバロック化と呼びます。ちなみに「バロック建築」を百科事典でひいてみましょう。「十七世紀のイタリアを中心にヨーロッパに展開した建築様式。非古典的、感覚的効果を狙い、複雑な曲線、壮大かつ動的、華麗で絵画的な特徴をもつ」とあります。複雑かつ壮大というところがポイントです。ルネサンスのあと、建築の世界でも美術の世界でも複雑かつ壮大な作品が次々に登場します。人々がより強い刺激を求めるようになり、目立つ作品、驚かせる作品を追い求めるようになったからに他なりません。季語の世界にもまさにバロック化が起こっているのです。

さて、一句の中で季語はどういう存在なのでしょうか。少々唐突ですが　ここに、とんかつ定食があるとします。揚げたてのきつね色のとんかつ。じゅんじゅん音を立てています。見るからに美味しそう！　でも皿の上にあるのはとんかつだけではありません。付け合せの千切りキャベツ。薄切り胡瓜。トマトが一切れ。パセリ少々。定食ですから御飯と豚汁、漬物がついています。季語とはと問われると私は「このとんかつのようなもの」と答えることにしています。キャベツやトマトは季語以外の部分。つまり、一句の中心が季語。この季語を引き立たせるのがその他の言葉というわけです。とんかつ定食は、やっぱりとんかつが美味しそうでなくてはね！

とんかつ定食おかはりの春キャベツ　　蜂谷一人

【きごのおんすう】季語の音数

音数によって季語の置く場所が変わります。句会の題が季語だった場合、音数からどんな構成の俳句が詠めるかを考えてみるのも一興でしょう。たとえば四音であれば「や」をつけて上五に。三音なら「かな」をつけて下五に置くことができます。

では「蚊」のような一音の季語、「花」のような二音の季語ならば？

蚊が一つまつすぐ耳へ来つつあり　　篠原　梵

叩かれて昼の蚊を吐く木魚かな　　夏目漱石

青空や花は咲くことのみ思ひ　　桂　信子

本丸に立てば二の丸花の中　　上村占魚

なるほど、工夫次第で上五、中七、下五どこにでも置けそうですね。

続いて三音の季語。

犬の仔を見せあってゐる日永かな　石田郷子

先述のように「かな」をつけて下五に置くのが定石。「日永」とは、春分を過ぎて夜よりも昼のほうが長くなり始める頃の季語。ゆったりとのびやかな気持ちになります。
四音ならばやはり上五に。「や」をつけて春光や、遠足や、たんぽぽや、という具合。

たんぽぽや見えてゐて声届かざる　蜂谷一人

五音なら上五にも下五にもぴったりはまります。

春ショール落ちやすきゆゑ華やぎぬ　佐藤麻績
大阪の灯のいきいきと春ショール　西村和子

六文字だと、うーんだんだん難しくなってきました。「花種蒔く」（春・草花の種を蒔くこと）を例にとれば、

花種を蒔きてこころは沖にあり　鷲谷七菜子

もともとは「花種蒔く」でひとつ続きの季語ですが、助詞の「を」をいれて分割するという奥の手が飛びだしました。

さあ七文字の季語。例えば「片栗の花」。これはもう中七しかないでしょう。と思ったら歳時記に用例があまり見つかりません。皆さん苦労しているんですね。

片栗の花ある限り登るなり　八木澤高原

上五から中七にまたがって使用しています。なんとか中七に置いて作ってみたのがこちら。

ゆふぐれは片栗の花揺れやすし

八音以上となればどこに置こうとも思い切りが必要です。上五字余りの例をひとつご紹介しましょうか。季語はバレンタインデー、八音です。

バレンタインデー心に鍵の穴ひとつ　上田日差子

いかがでしょうか。通常は俳句を作るとき内容をまず考えるはず。実はこのようにリズムから入ることも可能なんです。レッツ・トライ！

【きごのせつめい】季語の説明

俳句では、季語を説明してはいけないとされます。例えば「チューリップ」は春の季語。『角川歳時記』第四版には「小アジア原産のユリ科の球根植物の花。ヨーロッパで古くから品種改良が行われ、赤、白、黄色、桃、黒紫など花色がきわめて豊富。春、直立する花茎の上に一個の釣鐘形またはコップ形の花を開く。日本で新潟・富山県で栽培が盛ん」とあります。原産、歴史、色、花の形、栽培が盛んな地方。これだけの情報が記されています。チューリップを詠んだ時にすでにこれだけの情報が前提となっているということです。特に言いたい場合以外は、花色や花の形を説明する必要がありません。十七音しかない詩型ですからわかりきった情報を盛り込むのは損なやり方。「でも、読者がわかってくれるかどうか心配で」と思うかも知れません。心配いりません。読者は必ずあなたよりも季語のことをわかっている（筈）。

チューリップ喜びだけを持つてゐる　細見綾子

【ぎじんほう】　擬人法

人間でないものを人間にたとえる手法を擬人法といいます。俳句を始めたばかりのころ、句会で先輩方にこんな論評をされたことがありました。「この句は擬人法じゃない？」「擬人法でしょ」その言い方が、あまり褒めているようには聞こえない。むしろ少々小馬鹿にされた感じ。次第にわかったきたことは、擬人法の句は取らない、評価しないという俳人が一定数いるということ。

ちょっと待ってください。擬人法は立派な修辞のひとつ。俳句の入門書にも必ず載っていますよ。表向きは認めておいて裏に回ってけなすなんて卑怯じゃありませんか。そう思ったのですが、いざ句会で擬人法の句に出会ったとき、選句しない自分に気づくようになりました。何というか、五句選だとして一番好きな句、次点、さらにその次くらいは即断できるのですが、四番手五番手はそれ以下と差をつけられなくて迷うことが多いのです。そうなると、いい点を探すのではなく、悪い点を見つけて落とす口実にします。擬人法はその口実にされやすいのですね。「わかりやすすぎる」といったら語弊があるかもしれませんが、作者の狙いがはっきりしている分、底が浅いように感じられてしまうのです。幼稚園のころ「お日様がにこにこ笑っている」とか「チューリップが歌ってる」とか習いましたよね。今思えば立派な擬人法です。

ですから俳句に用いると少々幼く感じられてしまうのですよ。

しかし、俳句の世界は深くて広大ですから時には「参りました」と脱帽の擬人法もあります。それがこちらの句。

年を以て巨人としたり歩み去る　高濱虚子

年月を巨人にたとえた一句。茫洋として摑みどころのなく、しかも引き止めることはできない巨人の姿に時の流れを重ねています。私にはゴヤの描く巨人の姿が重なって見えます。

【きぶん】気分

季語とその他のことばを取り合わせるとき、どんなルールがあるでしょうか。かたちの似たものを並べるのを「見立て」といいます。わかりやすいのですが、うまく作らないと少々安っぽくなります。私がお勧めしたいのは「気分」です。

季語には気分があります、というと驚かれるかもしれませんが、例えば桜はどうでしょう。盛りの美しさから、つややかで華やかな気分。一方でぱっと散ることからいさぎよい気分。こんな風に季語の気分を捉えて、それに寄り添う言葉を探します。「春近し」なら、だんだん明るくあたたかくなってくる気分。

湖に春の近さの帆ありけり　松根東洋城

寒さの厳しい間は見かけなかった舟の白帆を見かけて、春が近いことを実感しています。帆を見つけたのがちょっとうれしい。春を見つけるのもうれしい。うれしい気分で春の近さと帆がつながりました。こんな風に、形が似たものを並べるのではなく、気分が似たものを組み合わせてみてください。

【ぎもんけい】疑問形

蝶ふれしところよりわれくづるるか　髙柳克弘

俳句ではなるべく断定したほうがよいと言われます。きっぱりと歯切れがよくなりますし、力強さが増します。掲句は髙柳克弘さんが俳句の疑問形の例として「ＮＨＫ俳句」テキストに掲載したもの。こんな風に虚の世界を詠む場合は、危うさや不安定さを表現するために疑問形を用いることがあります。普通に考えれば、蝶が触れたところから私が崩れてゆく筈はありません。しかし、あえて疑問形を用いて、蝶が触れただけで壊れてしまいそうな自我の危うさを表現しているのです。ただし、ちょっと高度な技法。

【ぎゃくせつ】　逆接

いい俳句には驚きがあると言われます。次の一句はいかがでしょう。

春星をことごとく得しその瞑さ　　藤田湘子

春星をことごとく得たのですから明るい筈。それを作者は瞑いと言っています。これが逆接。予想と反対のことばが表れ、心地よく裏切られます。明るい筈なのに、何故瞑いのか、読者はその理由を考えます。

春は旅立ちの季節。春の星は遠くを目指す旅人に方位を教えてくれるもの。明るい筈の星を瞑く感じるのは旅人が心に愁いを抱えているから。

もしも「その瞑さ」ではなく「その明るさ」であれば、真っ直ぐに読める反面想像は膨らみません。逆接を使って読者に謎を仕掛ける。髙柳克弘さんが「ＮＨＫ俳句」テキストに紹介した逆説の例句です。

【きょ】虚

俳句は写生。事実をありのまま写すことです。その通りではありますが、何事にも例外はあります。堂々と虚構をうたうのもその一つ。

ひとみ元消化器なりし冬青空　　攝津幸彦

シュールレアリスムの絵画を見るような一句。こちらも髙柳克弘さんが「NHK俳句」テキストで紹介していた作品です。消化器は胃や腸のことですから、まるでひとみが冬青空を飲み込んで消化してしまうような不思議な映像が浮かびます。髙柳さんによれば「虚の句は世界に対する別の見方を示し、柔軟な認識・思考への経路を開いてくれる」とのこと。CGを駆使したSF映画のように虚構ではあっても、差別や戦争など現代が抱える問題を様々な側面から描き出してくれるのです。

掲句の場合は、何度も口にしていると「ひとみ」が女性の名前のようにも聞こえ、消化器に消火器のイメージが重なってきます。いくつもの仕掛けで、ありふれた日常が、異界のものとして感じられるようになります。まるで溶けた時計が垂れ下がるダリの絵画のように。

【きよせ】　季寄せ

季寄せとは歳時記の簡易版。例句が少ないのですが、手元のものは春夏、秋冬新年の二冊で一年をカバーしています。歳時記は四季と新年にわかれていますから全五冊。持ち運びを考えるとこの分量の差は重要です。さらに季寄せは横長になっていて一目で多くの季語を眺めることができます。人間の目は横に二つ並んでいますから横長はとても見やすいのです。縦長の歳時記ではこうはいきません。あなたがどの季語を使おうかと悩んだとき、比較検討しやすいのが季寄せです。

【きれじをもちいないきれ】　切字を用いない切れ

切れは切字を用いずに作ることもできます。例えば句の途中に動詞や形容詞の終止形を用いるとそこで切れます。

暖かし猫につきたる子の刈毛　　田川飛旅子

「暖かし」は形容詞の終止形。「暖かし」と「猫」の間で切れることになります。

また名詞＋名詞のかたちが現れたらその間が切れになります。

ところてん煙のごとく沈みをり　日野草城

「ところてん」は名詞。「煙」も名詞ですから「ところてん」と「煙」の間で切れるのです。

【ぎんこう】吟行

大勢で、あるいは気のあった仲間と外に出かけ俳句をつくること。これを吟行といいます。あなたの俳句力をあげるよい機会ですので、誘われたら是非参加してみてください。小さな旅の中で俳句を詠むわけですから、材料は沢山あります。花を見ても、鳥を見ても新鮮な気持ちで俳句が詠める筈です。ところが風光明媚なところで、見たままを俳句に詠んでいると絵葉書のような句が出来上がります。言っておきますが「絵葉書のような」は褒め言葉ではありません。句会では綺麗だけれど特色のない句を「絵葉書のような」と形容します。

さて、コツをひとつお教えしましょう。吟行の際には大きな季語をひとつ決めておきます。春雨、夏空、秋日、北風などの形をもたない季語です。現場についたら、そこにある具体的な物を探します。同行の友人がつけているピアス、時計、転がっている空き缶、瓶、など何でも結構ですが、小さなもののほうがベター。大きな季語に小さなものを取り合わせるとバランスがよくなります。大切なのは季語以外のモノを選ぶこと。これで準備はすべてオーケー。

秋日濃しビニル囲ひの立呑屋

こんな感じです。「秋日」という形を持たない季語と「立呑屋」という具体物の対比による取り合わせが出来上がりました。「ビニル囲ひ」としたのは、秋日のきらきらした光をはっきりと見せるため。このあたりがちょっとした工夫です。この場合は明るい季語に対して明るいものを取り合わせていますが、逆に暗いものを持ってくることもできます。

秋日濃し吊るもののなき壁の釘

明暗、大小、長短など正反対のものの取り合わせはいつでも有効です。基本テクニックですので是非覚えておいてください。

さて短い時間で作るのは自信がないと、事前に句を準備する方がいらっしゃいます。しかし、晴れの句を作って臨んだら途中から雨が降り出したとか、とかく天気はままなりませんし、行ってみたらこんな筈じゃなかったと、なかなか予想通りにはいきません。結局、その場で作った句が一番パワーがあるようです。

【くかいのいぎ】　句会の意義

俳句は自分探しに似ています。本当の自分を探しに旅に出ても、なかなか自分は見つかりません。どこかに本当の自分がいると考えるのは幻想。本当の自分とは、日々の生活や仕事を通じて周囲の人に評価され、作り上げられてゆくものです。人は他人との関係の中で成長します。俳句も同じ。よく「俳句がうまくなったら句会に出ます」という人がいますが、句会で出会ったためしがありません。句会は目的ではなく手段。句会で他人の評価をきくからこそ、俳人として成長できるのです。とはいえ、無点で帰りの電車に乗るのはつらいもの。はからずも途中下車してバーに寄ることになります。

【くかいのやりかた】　句会のやり方

まず、短冊を用意します。よくテレビに登場する俳人のイメージに、宗匠頭巾をかぶり、手には短冊と筆、というものがあります。はっきり言って、いまどきそんな格好をしている俳人はいません。それは芭蕉のコスプレ。現代の俳人とはかかわりのない姿と断言しておきます。脱線しましたが、芭蕉のコスプレが持っている和紙の短冊。あれは高価で日常使うものではありません。句会で使う短冊は、Ａ４のコピー用紙を横に八等分、または十六等分したもの。裏が白ければ印刷された紙でも構いませんが、企画書などは用いないこと。そこから大切な情報が漏れないとも限りません。

さて句会では三句から七句程度を短冊に書いて提出します。一人五句で十人の句会であれば五十句が集まります。これをシャッフルして手分けして五句ずつ清書します。楷書で読みやすく間違えないように書き写してください。あなたが今清書した句は、作者がひと月寝ないで考えた句かもしれません。その句を書き間違えたら大変。作者の悲しみはいかばかりでしょう。

これで五句ずつ清書した紙が十枚出来上がりました。この紙を清記用紙と呼びます。清記作業を写経と呼んだりもしますが、丁寧に書き写すことで確かに心が静まってきます。

さて、これで作者の筆跡が消え誰の句かわからなくなりました。メンバーは四角か円を描くように座り、清記用紙には時計回りに一番から十番まで番号を振ります。書き終えたら右へ右へとこの紙を回します。野球と同じように、打ったら一塁へ（右へ）。回された紙の番号が増えて行くようにします。紙が回ってくると気に入った句を予選用紙と呼ばれるメモ用紙に番号とともに書き留めます。予選用紙は専用の紙でなく、ノートなどでも構いません。「ＮＨＫ俳句」の司会をつとめる岸本葉子さんはジャポニカ練習帳を用いています。このノートは縦書きで俳句の選にぴったり。しかもどこの文房具店でも安価に売っています。

五句選であれば最終的に五句選べばよいわけですから、全部の句を書き写す必要はありません。それをやっていると、時間がかかってしまい隣の人がこつこつとペンで机をたたき始めます。俳人の岸本尚毅さんは「下手な句を写すと下手がうつる」とおっしゃっていますが、あながち嘘でもないような気がします。

こうして紙が一周し、あなたの手元には自分が清記した紙が戻ってきました。これで、投句された五十句をすべて見終わったことになります。この中から予選のメモを参考に自分以外の五句を選び選句用紙に書き写します。並選四、特選一など、選句数が句会ごとに決められています。

ある大家がテレビ句会で自分の句を選び話題になったことがありました。他のひとの句のレベルが低くて取る気がしなかったのかもしれませんが、それはレジェンドだけに許されること。あなたは決してやってはいけません。早く選び終わって他のひとが追いついていないようであれば、この時間にトイレに行ってください。

全員が選び終わると披講となります。披講役に選ばれた人が選句用紙を回収し、一枚ずつ番号とともに選ばれた句を読み上げます。自分の句が読まれたらすぐに名乗るやり方もありますが、私はお楽しみを後にとって置きたいほう。ひとまず句を読まれても黙っていることにしましょう。呼ばれた番号が手元の清記用紙と同じであれば、「はい」と返事して句の上に選んだ人の名前を書き込みます。特選であれば名前を丸で囲みます。書き込んだら「いただきました」とか「いただき」とか大きな声で告げます。どんなに注意していても集中力を欠いて書き漏らす人が必ず出てきます。そうならないよう、この「いただき」でちゃんと書きとめたことを確認します。披講が終わると、清記用紙を主宰が回収します。主宰がいない場合は、誰か司会役を選んでおいてください。披講役と重なってもかまいませんが、披講と司会、両方やるとなるとかなりの負担となりますので、句会のあとにビールをおごる必要があります。

披講の次は点盛りです。並選一点、特選二点などと決め、それぞれの句の合計点を出します。それが終わるといよいよ合評です。どの句から鑑賞しても自由ですが、主宰の特選句や高点句からのことが多いようです。一句ずつ、選んだ人が理由を述べ（選評）、そのあとで作者が名乗ります。ここが句会のクライマックスです。大人になって褒められることはあまりありませんが、句会で名乗ると一座の賞賛が得られます。主宰の特選であれば、「生きててよかった！」と感じるほどの嬉しさです。決して誇張ではありません。是非あなたも主宰の特選を経験してみてください。反対に坊主といって一点も入らないとかなり落ち込みます。すべての点の入った句の名乗りが終わると句会は終了。時間によっては、特選や高点句のみ選評を行い、他の句は名乗りのみとすることもあります。これが句会のおおまかなルールです。

四百年もの間俳句が受け継がれてきたのは句会があったればこそ。主宰も一般参加者も名前を伏せて選びあう民主的なシステムが、封建時代の日本で生まれたことはひとつの奇跡のようにも感じられます。

【くぼたまんたろう】　久保田万太郎（一八八九～一九六三）

芥川龍之介が「江戸時代の影の落ちた下町の人々を直写」している点で、万太郎ほどの作者はまれであろうと指摘しています。小説や戯曲の世界で活躍した万太郎ですが、今日その作品を覚えている人は多くありません。その文名を高くしているのは、むしろ余技であった俳句なのです。下町の情感にあふれた、言い換えれば日本人の心の琴線に触れる句を数多く残しています。

湯豆腐やいのちのはてのうすあかり

万太郎は家族の縁の薄い人でした。妻には先立たれ、晩年一緒に暮らした女性も先に逝きました。湯豆腐の句は、その女性が亡くなったあとに詠まれたもの。ふつふつと湯豆腐の湯が沸く音を聞いているここが「いのちの果て」。「うすあかり」に孤独な男の影が浮かび上がります。「湯豆腐」と「いのち」という意表を突いた取り合わせが、すんなりと胸に落ちるのは少々意外な気もします。考えてみれば、いのちとは豆腐のようにたよりない存在。色はなく匂いも薄く、たやすく崩れかたちを失うもの。

【くまたがり】　句またがり

俳句は五七五の十七音で出来ています。同じ十七音でもリズムの違うものがあります。次の句を見てください。

海暮れて鴨の声ほのかに白し　　松尾芭蕉

うみくれて　五音
かものこえ　五音
ほのかにしろし　七音

五五七となっています。文節の切れ目と句の切れ目（五七五）が一致しないものを句またがりと呼びます。五五七のまま読んでもよいのですが、

うみくれて　　　五音
かものこえ・ほの　七音
かにしろし　　　五音

意味の切れ目を意識しつつも五七五のリズムを前提に「・」のところにわずかなすき間をあけるやり方もあります。こちらはやや高度なやり方。「NHK俳句」はおおむね五五七。意味の切れ目で区切るようにしています。初心者のうちは、臆してなかなか句またがりに挑戦できません。少々経験を積むと、得意になってやたらと用いるようになりますが、俳句はあくまで内容次第。中身のない句に句またがりを用いても、それで評価が上がるわけではありません。

【クローズアップ】

俳人の岸本尚毅さんは、吟行にカメラを持っていってはいけないとおっしゃっています。写真を撮ろうとすると、そこで起こったことをフィルムに定着させることに全神経を注ぎます。しかし、俳人がすべきことはフィルムに定着させることではなく、ことばに定着させることです。いわば、自分自身がカメラになる必要があるのです。写真を撮っている間、あなたは俳句のことを忘れています。細部に目をこらさなければならないのに、構図やシャッターチャンスに心を奪われます。こうなると、いい写真は撮れても俳句は出来ません。

さて俳句カメラには、様々な機能が備わっています。クローズアップもそのひとつ。

蛇 の あ と し づ か に 草 の 立 ち 直 る　　邊見京子

草原を蛇が進んでいます。草の丈が高いですから全身は見えません。ただなぎ倒されて草が倒れ、蛇が過ぎたあと立ち直る。その様子が見えるばかりです。「しづかに」という言葉で過ぎた後の静寂、何もなかったような、しんとした景が目に浮かびます。作者の眼には、蛇と草以外のものは映っていません。そこにある筈の木や花、虫や風、空さえも描かれていないのです。これがクローズアップの効果です。小さな世界に俳句カメラがズームインしているのがわかりますか。

【けっしゃ】　結社

主宰を中心にまとまった俳句のグループのこと。初学のころは悪の秘密結社を連想して身構えますが、入ってみると先輩は優しく、主宰は有能でたちまち魅力に惹きこまれます。会費を払うと定期的に結社誌が届き、そこに自分の句を発見して大喜びします。句会に出ると後の飲み会に誘われ、思う存分俳句談義を楽しめるうえに、ビールで喉を潤すことも出来ます。俳句年鑑をアマゾンで買えば全国の結社が住所電話ファックス、メール付きで掲載されています。個人情報保護の時代にどきどきするような情報の開示ぶりです。

【けっしゃのえらびかた】結社の選び方

口の悪い方がこんなことを言っていました。俳句の結社は「組」のようなもの。入るのは容易いが、抜けるのが難しい、と。かつて結社の統制が厳しかった時代にはそうだったでしょうが、今はそんな例は減っていると思います。とはいえやはり相性というものがあり、入ってよかったと感じることと、窮屈に感じることがあるのも事実。決め手は主宰との相性でしょう。間違えないようにするにはどうしたら良いでしょうか。

お勧めはカルチャーセンターなどにお試し入門すること。大抵の俳人は、講座を持っていて、結社の外で指導を受けることが出来ます。どんなに情報を収集しても、直接会ってみなければわからないのはお見合いと同じ。カルチャーならば入会も退会も簡単。事務的な手続きだけで済むので気楽です。

地方にお住まいで、近くにカルチャーセンターがない場合は、季節ごとに開催される俳句大会に出席されてはいかがでしょうか。俳人がゲストとして招かれるので参考になる筈。え？　いつ俳句大会があるかわからない？　大きな書店に行けば「俳壇」「俳句」「俳句四季」「俳句界」などの総合誌があり、それらには各地の俳句大会の情報が載っています。またＮＨＫ学園の俳句講座に入会すれば通信で指導を受けられるだけでなく、学園主催の俳句大会の案内もしてもらえます。こちらはホームページで検索できます。

もっとも私の場合は、赴任先の松山で、初めて会った夏井いつきさんに「あなた明日の句会に来なさい」といきなり勧誘、というより命令（？）されたことがきっかけ。俳句の「は」の字も知らなかったのに、翌日は句会に向かうタクシーに乗っていて、そこで俳号を用意していないことに気づき、同行したスタッフの女性に「何がいい？」とうっかり尋ねたら「本名が初人だから一字変えて一人（はつと）はどうですか？」と勧められて、それ以来「一人」になってしまったという安易な展開。それでも二十年以上続いているのですから、縁というものも確かにあるのでしょう。

【けり 1】

「けり」は文末に置く切字。もともと過去の助動詞「き」に「あり」がついた形なので「過去の詠嘆」つまり「○○だったなあ」という意味になります。動詞、形容詞などの用言につくのが特徴。上につくのは連用形です。口語の「ます」と同じ接続です。ついて来ていますか？大丈夫ですか？

「学びます」↓「学びけり」
「泳ぎます」↓「泳ぎけり」

こんな具合に使います。「およぎけり」と五音なら下五に置きやすいのですが、「行きます」↓「行きけり」となると四音で座りが悪いですね。こんなときには「に」を入れて「行きにけり」として五音に収めます。間違えやすいのは形容詞につく場合。「美し」＋「けり」は「かり」を入れて「美しかりけり」となります。字数の関係で「美しかり」のように、「かり」でとめる用法をよく見ますが文法的には誤り。お勧めできません。こんなふうに多少の文法の勉強は避けて通れないのですが、フリーズしちゃう人がいるのも事実。一番いいのは、好きな句を暗記してしまうこと。理屈抜きで、文法の感覚が身に付きます。

飛込の途中たましひ遅れけり　中原道夫

「飛込」が夏の季語。学生時代の思い出でしょうか。体が飛び出してゆくのに、心が追い付かない。そんな瀬戸際の感覚を「たましひ遅れけり」と言いとめました。「遅れけり」を覚えておけば他の動詞にも応用できます。ちなみに「けり」は文末に置かれることが多いので、「おしまいにする」という意味の「けりをつける」という慣用句が生まれました。俳句トリビアです。

さて、映像的な効果で言えば「けり」はフェイドアウトです。フェイドアウトとは、映像が暗くなってゆき、やがて真っ黒になる編集上の技法。回想シーンなどに用いられます。現在のシーンと過去のシーンを、通常のカット編集でつなぐと、混乱してしまいます。フェイドアウトを挟むことで、視聴者は「ああ、これは過去のシーンなんだな」と了解します。過去であれば、昨日のことでも　百年前のことでも、あるいは平安時代のことあっても構いません。「けり」は過去へのタイムマシンです。

【けり 2】

「けり」を使う型の特徴は、「けり」を下五に置くことです。
「けり」は二文字ですから三文字の動詞につければ下五に収まります。

上五＋中七＋三文字の動詞＋けり

神田川祭の中をながれけり　　久保田万太郎

では二文字の動詞の場合は？　「に」を足して「にけり」とします。「書く」ならば「書きにけり」。「行く」ならば「行きにけり」。「に」は「〇〇してしまった」という完了を表しますから、厳密に言えば意味が少々変わります。しかし一般的な俳句作りの現場では、あまり気にしなくてよいと思います。

ところで、神田川の句は俳人の間で少々の議論があります。川が流れるのは当たりまえではないか？　別の動詞を採用するべきでは？　ふむふむ。まことにごもっとも。ではどの動詞を使えばいいのか？　是非考えてみてください。名句を批判的に読み解くことは、あなたの成長につながります。あなたがもっとよい動詞を見つけたとしても、それで万太郎が気を悪くすることはないでしょう。

【けんだい】 兼題

句会などに先立って出されている題。兼ねてから出されている題なので兼題と呼びます。発表されると大抵ブーイングが起こります。たとえば「桜」のような王道とも呼ばれる題の場合は、名句が多すぎて超えるのが難しい。「狐火」のような虚構の季語の場合は、目にする機会がない。季語でないことばの場合は、組み合わせる季語がわからない。つまるところ、作りやすい兼題なんてものはないということになります。

ところで兼題で季語が出されたら、その言葉そのものを詠み込まなければなりません。例えば「春」が題であれば、「春」という言葉を直接詠み込むのがルールです。春っぽいイメージが入っているからいいや、と別の言葉で代用してはいけません。歳時記には春の下に陽春、芳春、三春、九春 という言葉が連なっています。これらを傍題と呼び、大抵の場合こちらを詠みこんでもOKとされます。

春 や 昔 十 五 万 石 の 城 下 か な　　正岡子規

【こい】　恋

「恋は遠い日の花火ではない」というＣＭがありました。「花火」は夏の季語ですから、俳句として鑑賞することもできます。このコピーを口ずさむ一瞬、人は遠い目をする筈です。あなたにも、あの夏の、たった一度きりの、思い出がよみがえるのではないでしょうか。

恋は『万葉集』以来、詩歌の重要なテーマです。現代俳句では恋を詠むことは少ないかもしれませんが、是非挑戦してみることをお勧めします。恋なんかしてないから、と尻込みするあなた。嘘でも構いません。想像の恋でいいのだと正木ゆう子さんに伺いました。

ある時、勇気を出して恋をテーマにした句会を開いたことがあります。やってみると思いのほか楽しく、しかし緊張して句会の手順を間違えたり、やたらに汗が出たり。恋は年齢に関係なく人を活性化させるのだという事実を再確認しました。ではどんな句が出来たのか。

夏空へ飛込む君は水しぶき　　あられ

高校生が作ったかのようなみずみずしい作品。作者は立派な大人の女性です。読むとちょっぴり恥ずかしくなりますが、甘酸っぱいものがこみ上げます。

香水やひと夜の果の水の音　蜂谷一人

逢瀬の翌朝の香水の残り香を詠んでみました。とてもとても妻には見せられません。

短夜の永久凍土より声が　亜美

かつての恋愛を永久凍土と詠んだのでしょうか。夏の短い夜にはかつての恋が思い出されるもの。夜の暑さと永久凍土の冷たさの対照が面白い一句です。ついつい話題が盛り上がって選評をしているつもりが、いつしか恋話となってしまいました。挙句の果てに「私には永久凍土三つあり」という無季の句まで生まれたほど。普段親しんでいる人たちに、こんな秘められた過去があるなんて思いもしませんでした。話題沸騰間違いなしの恋の句会、是非お試しあれ。

さて恋の句で私が最も官能的だと思うのが次の句。

晩春の肉は舌よりはじまるか　三橋敏雄

舌よりはじまるのはディープ・キスでしょうか。匂うような官能が立ち上がるのは「晩春」という季語のせいでしょう。

【ごだんとばし】　五段飛ばし

対馬康子さんは俳句の五段飛ばしを勧めています。五段飛ばしとは推敲の際、次の五つのステージで内容を考えようというもの。

1　原句
2　表現を整える
3　設定を広げよう
4　違うものと取り合わせる
5　見えない世界へ

必ずしも五段目が一段目よりすぐれているという訳ではなく、あくまで頭の柔軟体操として俳句の可能性を広げようというもの。先日の「NHK俳句」では、司会の武井壮さんとゲストの上西星来さんの句を、対馬さんが五段飛ばししました。題は夏の季語「髪洗ふ」。
まず星来さんの句から。原句がこちら。

新 曲 の カ ウ ン ト 数 へ 髪 洗 ふ　　上西星来

星来さんは東京パフォーマンス・ドールの一員。アイドルらしく舞台稽古を題材にしました。

新曲の振り付けはカウントを聴きながら練習。いつもカウントが頭の中に鳴り響いているそうです。この句は季語を備え、定型に収まっています。ある程度整った表現になっているので、まず二段目に置くことにしました。次は三段目です。

新曲のカウントとなり髪洗ふ

事実だけにとらわれず変形を楽しみます。いよいよ本番となると、体が自然に動きカウントを数える必要がありません。体にカウントがしみついた状態を「カウントとなり」と表現してみました。続いて四段目。

目覚めゆく風のカウント髪洗ふ

風のように自在に変化する振り付けを想像し表現をふくらませます。続いて五段目。

髪洗ふスーパーノヴァを響かせて

違う世界への扉を思い切り開きます。「スーパーノヴァ」とは超新星爆発のこと。夜空に新しく星が生まれるようなエネルギーを一句に込めました。

「新曲のカウント数へ髪洗ふ」から「髪洗ふスーパーノヴァを響かせて」へ。

作者の星来さんも驚くほどの展開です。ちなみに星来さんが一番気に入ったのは三段目だったとのこと。さて続いて武井壮さんの句の五段飛ばし。原句がこちら。

南国の果実あまくて髪洗ふ　武井壮

各国を旅した武井さんらしい素敵な句。このままでもよさそうですが、今回は勉強のため五段飛ばしします。まず二段目に置き、三段目を作ってみます。

南溟の甘き果実よ髪洗ふ

「南溟」とは南方の海のこと。青い熱帯の海の景色が目に飛び込んできました。続いて四段目。

香木の指さき甘く髪洗ふ

香り高い果実を、香木に置き変えてみました。瞑想や祈りの場でも用いられる香木。一気に精神性の高い句へと昇華しました。続いて五段目。

洗《あらい》髪《がみ》四海へ種のこぼれけり

甘い果実から、それを実らせる種へ発想を飛ばしました。「四海」とは世界のこと。洗い髪から世界へ豊穣の種がこぼれるイメージです。

いかがですか。普段私たちは、現実の世界に縛られてなかなか発想を飛ばせないもの。俳句の世界ではこのくらい自由に遊んでみるのもよいのではないでしょうか。

【こと】

事柄のこと。俳句で詠むには不向きな題材とされています。何故か？　事柄を説明しようとすると大抵の場合、十七音では足りないからです。さて先日の句会でこの句が出て、人気を集めました。

シャンパンを割りて進水桜東風《さくらごち》　福花

シャンパンのしずくがきらきらと飛び散る景が見えてきます。いい句だと思いますが、別のやり方もあります。進水式という事柄をいわずに、モノから想像させる方法です。次の句をごらんください。

シャンパンを船べりに割る桜東風

これでも進水式だとわかります。船べりというモノが入ることで、レジャーボートのようなあまり大きくない船の姿が見えてきませんか。では次の句はどうでしょう。

シャンパンを船首に割りぬ桜東風

船首とすると、今度は大きな客船や貨物船の姿が目に浮かびます。船べりや船首のようなモノには手触りがあり、よりリアルに感じられるだけでなく、船の大きさまで語ってくれます。つまり情報量が多い。俳句の描写はコトよりもモノ。そう覚えてください。ここ、試験に出そうですよ。蛍光ペンでマークしておきましょう。

【ことだま】　言霊

歌人の永田和宏さんはこんな短歌を作りました。

ゆきずりのカウンターにて飲むひとが倍賞千恵子であるわけがない

永田さんは京都大学入学当時からの倍賞さんのファン。当時、倍賞さんが主演した「舞妓はん」という映画の相手役、橋幸夫に嫉妬したといいます。歌を詠んで三ヵ月後、なんとその倍賞さんが番組の収録で永田さんの隣に座ることになりました。

古代の人々は言葉に宿る不思議な霊威を信じていました。このエピソードは現代に言霊が生きていることの証ではないでしょうか。ちなみにこの日は「NHK短歌」が始まって千回目の収録。決して偶然とは思えない大女優のオーラをまざまざと感じた一日でした。

【ごび】語尾

海を見ながら春日傘回すくせ　すず郎

いつぞやの句会に出た句です。男性には人気だったのですが、女性には意外なほど不人気。わけを尋ねると「だって、日傘を回したりしないもん」という答えが返ってきました。可愛い女を演じてほしい男性と、拒絶する女性の違いがはっきり表れたと言えそうです。とはいえ、本稿の主題はそこではありません。句の末尾を変えることによって、様々なニュアンスを表現できることを実証してみたいと思います。もしかしたら女性たちに評判のよい一句に生まれ変わるかもしれませんからね。

海を見ながら春日傘回すらし

「らし」であれば伝聞。あのひと、そうは見えないけれど、日傘を回したりもするんだ、と口さがない噂の一句となります。

海を見ながら春日傘回すまじ

「まじ」であれば、するもんか、という意味。日傘を回してなんかやるもんか。男の願望を知りつつ、回さないぞ、という女性の複雑な心理が浮かび上がります。

海を見ながら春日傘回しさう

「しさう」だと、興が乗って回してしまいそうだ、という意味に。一緒にいる男性を憎からず思っているせいか、日傘を回しそうになる。でも内心を見透かされそうだから、それはしないでおこう。そんな可愛い本音が見えてきます。語尾を少し変えただけで、可愛い女になったり、鉄の女になったり。あなたならどの語尾を選びますか。

【ごよう】 誤用

名句と呼ばれる作品の中にも文法的に少々問題があるものがあります。例えば、

春の鳶寄りわかれては高みつつ　飯田龍太

春の鳶が寄り添ったり離れたりしながら、高く昇ってゆくよ、という内容です。「高み」の終止形は高む。高くなるという意味で「高む」を使っています。ところが辞書には「高む」は「たかくかまえる。えらぶって振舞う」とあり、「高くなる」という意味はありません。では、この句は価値がないのか？　そんなことはありません。誤用であっても、ひとたび名句と認知されれば市民権を得ることになります。数学の世界では正解はひとつしかありませんが、言葉の世界では、正解よりも素晴らしい誤答が見つかることもあるのです。

【さ】行

【さいじき】 歳時記

試験会場に持ち込める参考書のようなもの。俳人にとっては救世主のような存在です。吟行や席題では限られた時間に句を作り提出しなければなりません。その修羅場で解答例を自由に閲覧できるのが歳時記。パクリは許されませんが、例句からインスピレーションを受けるのは自由。試験官に見つけられても、とがめられることはありません。

さて、どの歳時記を買ったらいいでしょう、とよく尋ねられます。最もよく使われているのは角川学芸出版の『俳句歳時記』。合本になっているものもありますが、持ち運びに不便なので春、夏、秋、冬、新年の五冊に分かれた文庫版が重宝です。歳時記の入った電子手帳を使えば、一年中いつでも対応できるので便利ですが、紙の余白に書きこんで自分だけの一冊を作ってゆく楽しみはありません。

最新の第五版には季語の本意や注意が記されていて話題になっています。例えば「秋の水淡水のことで、主に景色をいう。海水や飲む水には使わない」と書かれています。

これを読んでギクッとしたひと、いませんか？　淡水、つまり川や湖の景色である。飲む水ではない。この二つがポイントですよ。

秋水がゆくかなしみのやうにゆく　石田郷子

【さいてきか】最適化

俳人の岸本尚毅さんは、「材料と表現の最適化」ということをおっしゃっています。これは食べものとお酒の相性のようなもの。仮に、あなたがもつ煮を食べているとします。どんなお酒を御所望ですか？　まさかシャンパンではありませんよね？　シャンパンは美味しいお酒ですが、もつ煮には合いません。ここは、やっぱりホッピーじゃなくちゃ。では、蕪蒸を召し上がっていたら？　やはり日本酒ですよね。できれば大吟醸といきたいところ。蕪蒸にホッピーは似合いませんからこれが食べ物と酒の最適化。俳句でもこれによく似たことが起こります。

秋風の通天閣のもつ煮かな
灯ともして通天閣の蕪蒸

通天閣に似合うのはどちらですか？　もつ煮？　それとも蕪蒸？　やっぱり、もつ煮ですよね。B級グルメにもそれなりの良さがあり、上品な素材に勝ることもあります。俳句の世界でも、ホッピーが似合う素材なのか大吟醸が似合う措辞なのかを見極めることが大切です。

【さいとうさんき】西東三鬼（一九〇〇～一九六二）

露人ワシコフ叫びて石榴打ち落す

三鬼は日本歯科医学専門学校卒業後一九二五年にシンガポールに渡り、歯科医院を開業。一九二八年に不況による抗日運動の高まりと自身の病のため帰国しました。異国での生活の後、三十代で俳句の道に入った異色の経歴の持ち主です。俳壇の秩序の外にあったためか特定の師を持たず、自由な発想で句を作りました。基地、地下街、空港、異人といった従来の俳句で取り上げなかった素材を積極的に詠んでいます。

掲句も異人を詠んだ作品。何故叫んでいるのか、一切の説明がないことが返って不穏な雰囲気を高めています。打ち落とされた石榴はどうなったのでしょう。ぱっくりと割れた石榴は人間の肉を思わせ、飛び散った果汁は血液を思わせます。俳壇一の伊達男として知られ、関係のあった女性はわかっているだけでも三十五人。乗馬やゴルフをたしなみ、女装の写真まで残している三鬼。今で言うと、もてもての「ちょいワルおやじ」というところでしょうか。三鬼の代表作でありながら、今なお論議の絶えない一句です。

二〇〇九年のことになりますが、BSで「日本ナンダコリャこれくしょん　今度は俳句だ！（通称　ナンダコリャ俳句）」という番組を制作したことがあります。古今の不思議でインパクトのある俳句を集め、出演者の方々に人気投票してもらうというもの。主宰・金子兜太、司会・いとうせいこう、出演・冨士眞奈美、吉行和子、高橋源一郎、假屋崎省吾、大宮エリー、なぎら健壱、箭内道彦、明川哲也、南海キャンディーズという豪華な布陣でした。カンカン諤諤の議論の末、はえある一位に選ばれたのがこの句と渡辺白泉の「戦争が廊下の奥に立つてゐた」の二句。決してわかりやすくはないのに人気を集めたのは、三鬼、白泉の底力のおかげなのでしょう。

ちなみに、このとき南海キャンディーズのしずちゃんが推したのは次の句でした。

夏みかん酢つぱし今さら純潔など　　鈴木しづ子

女性が性を詠うことがタブーだった時代。ダンスホールで働き、黒人米兵とつきあうなど奔放に生き、大胆に性を詠んだしづ子。句集発表後、「ごきげんよう、さようなら」という言葉を残して忽然と姿を消してしまいます。今なお生死不明という伝説の俳人・しづ子の代表作。

あなたならどう鑑賞しますか。

【さんだんぎれ】　三段切れ

一句に切れが二箇所あり三つの部分に分かれるものを三段切れといい、避けるべきものとされています。例えば先日の「俳句さく咲く！」で俳優の酒井敏也さんが詠んだ句がそうでした。

長椅子や老婆三人二月尽　　酒井敏也

長椅子や、老婆三人、二月尽、と三つに分かれています。季語は「二月尽」。歳時記には「新暦二月の終わり。短い月が慌しく過ぎ行く感慨と同時に寒さがゆるみ、春本番に向かうほっとした気分もただよう」と記されています。櫂未知子さんは次のように添削しました。

長椅子に嫗《おうな》三人《みたり》や二月尽

「長椅子や」の「や」を「に」に変えて切れをなくします。老婆三人は風情がなさすぎですので、「おうなみたり」としこの後に「や」を入れて切ります。これで言葉の格調があがるとともに、切れが一つとなり欠点が解消されました。ちなみに老婆を嫗と言い換えるような場合には類語辞典が役立ちます。

【し】　詩

今井聖さんによれば、詩の三大要素は「誇張」「比喩」「錯覚」。さらに「神経症」を加えて四大要素とも呼べるそうです。俳句も詩のひとつですから、これらの要素を含んでいるはずです。俳句イコール写生と考える人たちにとって、この定義は首を傾げるものかもしれません。しかし写生であっても誇張や比喩は十分許されるのではないでしょうか。あまりに健康的な詩は苦手な私。錯覚や神経症も軽いものならば味わってみたいと思います。美は乱調にあり、と言われる通り、絵葉書の風景をアートに変えるには少量の毒が必要という教えではないでしょうか。

海・少女・少量の毒・南風　　蜂谷一人

【し】 助動詞

文語に不得手なひとがやりがちなのが、動詞に「し」をつけるやりかた。書きし、捨てし、越えし、など何となく文語っぽくなります。ただし、意味が少々変わってしまうので注意が必要。「し」は過去の助動詞「き」の連体形ですから過去を意味します。さらに連体形ですから、本来ならば名詞が続く筈。その名詞がない場合は、省略されていると考えなければなりません。例えば「書きし（こと）」「捨てし（もの）」という風に。後ろに続く「こと」や「もの」が省略されていて、余韻を残すかたちとなります。もしもあなたの表現したいことがそれと違っていたら推敲が必要です。

ちなみに過去の助動詞「き（終止形）」はこんな風に使われます。

『ツァラトゥストラかく語りき』（ニーチェの著作）

『わが谷は緑なりき』（一九四一年のアメリカ映画）

【じあまり】　字余り

白牡丹といふといへども紅ほのか　　高濱虚子

はくぼたんと　六音
いふといへども　七音
こうほのか　五音

この句は五七五ではなく六七五。十八音です。十七よりも音数の多い句を字余りといいます。同じ字余りでも　上五を余らせたものはよく見かけますが、中八になったものは嫌われます。下五は少々なら音が増えてもＯＫ。字余りならなるべく上五で。中七は厳守。下五は注意して。

【しきさい】　色彩

俳句を言葉で描く絵画と考えることが出来ます。デッサンに相当するのが写生。もののかたちを写し取ります。しかし、絵画は色を持っています。色を主体に俳句を作ってみるのも楽しい経験です。

冷房の下着売場の白世界　草間時彦

今の下着はカラフルですが、ひと昔前の下着は白一色でした。掲句はデパートの景でしょう。エレベーターが止まりドアがあいた瞬間、白一色の下着売り場が目に飛び込んできました。よく効いた冷房が一層涼しく感じられたことでしょう。絵に描くとすれば白、白、白。「白世界」という造語が雪を現す銀世界を連想させて、清涼感が倍増します。

【じたらず】　字足らず

兎も片耳垂るる大暑かな　芥川龍之介

うさぎも　四音
かたみみたるる　七音
たいしょかな　五音

十七よりも音数が少ないのが字足らず。掲句は十六音。大抵の俳句の本には字足らずの例として芥川の句が掲載されています。ということは、ほかの成功例が少ないのでしょう。字足らずはしらべが不安定になるため、字余りよりも難しいようです。

【しばふきお】　芝不器男（一九〇三～一九三〇）

彗星のごとく俳壇の空を通過した、と評された夭折の俳人。俳人としての活動期間が短く、作品の数も多くありませんが叙情的なきらめきは今でも多くの読者の心をとらえています。

あなたなる夜雨の葛のあなたかな

虚子はこの句についてこう述べています。「この句は作者が仙台にはるばるついて、その道途を顧み、あなたなる、まず白河あたりだろうか、そこで眺めた夜雨の中の葛を心に浮かべ、さらにそのあなたに故国伊予を思う、あたかも絵巻物の表現をとったのである」。まさに名鑑賞。付け加えることは何もありません。

【じぶんのき】　自分の木

宇多喜代子さんは、自分の木を持つことを勧めています。別に庭がなくても構いません。通勤の街路樹でもいいし、公園の木でも構いません。どれか一本を自分の木と決めます。毎日眺めていると小さな変化に気づきます。新芽が出た、花が咲いた、花が散った、蝶が来た、木は生きていますから毎日少しずつ変わって行きます。その気づきが俳句です。

【しもにだんかつよう】　下二段活用

動詞は下につく言葉によってかたちを変えます。これを活用と呼びます。「未然連用終始連体已然命令」（みぜん・れんよう・しゅうし・れんたい・いぜん・めいれい）ということばを聞いたことがありませんか？　国語の文法で習った筈ですが、見事に忘れている人が多いのがこれ。自分が授業中寝ていたのを棚に上げて、「活用を習っていない」と母校の職員室に押し掛けた人がいるそうですが（笑）、多分習っている筈。できるだけ呪文を用いないようにしてきた本書ですが、どうしても使わざるをえないのがこれ。難しいと思うかもしれませんが、一種類だけですので覚えてしまいましょう。

否定の「ず」に接続するのが未然形、「けり」につくのが連用形、言い切りが終止形、「こと」などの名詞につくのが連体形、「ば」につくのが已然形、そして命令の「よ」がつく命令形です。

例えば口語の「告げる」の文語は「告ぐ」です。「兵に告ぐ」などの言い方を聞いたことがあると思います。この「告ぐ」の場合ですと「告げず　告げけり　告ぐ　告ぐること　告ぐれば　告げよ」と変化します。これが活用です。「告ぐ」の場合だと「げ　げ　ぐ　ぐる　ぐれ　げよ」となります。

ローマ字で書くと「ge ge gu guru gure geyo」です。

同じように口語「求める」の文語は「求む」。「人材求む」などのように使われます。「求む」の場合には「求めず　求めけり　求む　求むること　求むれば　求めよ」と変化します。ローマ字で書くと「me me mu muru mure meyo」です。

何故ローマ字で表記したのか、疑問に思ったあなた。いい勘をしています。

ge ge gu guru gure geyo

me me mu muru mure meyo

並べてみると何か気づきませんか。そう。gの音とmの音以外は共通なんです。gとmを抜いてみるとこうなります。

e e u uru ure eyo「え　え　う　うる　うれ　えよ」これが基本形です。

五十音図の「う」の段と「え」の段、あいうえおの下の方の二段で活用するから下二段活用と呼ばれます。そして、俳句初心者のあなたがまず間違えるのがこの下二段活用です。口語とごっちゃになって「告ぐれば」と書く際につい「告げれば」としてしまいがちです。「求むれば」とすべきところを「求めれば」としてしまいます。いかにも間違えやすそうでしょう？実際NHKに寄せられる投句のかなりの方がこの過ちを犯しています。しかし、たったひとつの基本形さえ覚えれば、もう間違えることはありません。もう一度言いましょう。基本形は、

e e u uru ure eyo「え　え　う　うる　うれ　えよ」

では「受ける」という意味の「受く」で練習してみましょう。

受けず　受けけり　受く　受くること　受くれば　受けよ

ke ke ku kuru kure keyo

kをとれば　e e u uru ure eyo やはり基本形となります。

下二段活用の動詞の基本形は、

e e u uru ure eyo「え　え　う　うる　うれ　えよ」

「告ぐ」の場合は　gをつけて「げ　げ　ぐ　ぐる　ぐれ　げよ」

「受く」の場合は、kをつけて「け　け　く　くる　くれ　けよ」

「求む」の場合は　mをつけて「め　め　む　むる　むれ　めよ」

どうです簡単でしょう? ルールはこの一種だけ。

同じように「見ゆ」場合は、

「見えず　見えけり　見ゆ　見ゆること　見ゆれば　見えよ」

「え　え　ゆ　ゆる　ゆれ　えよ」となります。あいうえおの「え」と　やいゆえよの「ゆ」が出てくるのが変だと思うかもしれませんね。実はあいうえおの「え」ではなく、やいゆえよの「え」だったんです。終止形を見てください。「見ゆ」はmiyu、このことから活用は　ye ye yu yuru yure yeyoだと推測できます。

もうひとつ「植える」という意味の「植う」という文語。こちらは難しいと言われる下二段活用の中でもウルトラ難しいとされる一語です。

「植ゑず　植ゑけり　植う　植うること　植うれば　植ゑよ」

滅多にお目にかからない「ゑ」が出てきました。「え」と読み方は同じですが、この場合は「ゑ」。文語では「わいうえお」ではなく「わゐうゑを」と表記します。

「ゑ　ゑ　う　うる　うれ　ゑよ」をローマ字で表記すると、

we we wu wuru wure weyo
ちなみに「わ」行の下二段活用はたった三つしかありません。
「植う」「飢う」「据う」です。もしもあなたがクイズ王を目指すならこの三種類を暗記してください。

【しゃせい】　写生

明治時代、正岡子規は俳句を新しくしようと苦心していました。旧派の陳腐で新しみのない句を「月並俳句」とののしり改革を目指しました。文明開化の時代ですから怒濤のように西洋の文物が流れ込んできます。旧態依然の句を作っていては時代に取り残される。そう考えたのでしょうか、子規は写生という新しい概念を提唱しました。

写生とはもともと西洋絵画の用語で、見たものをそのまま写すこと。キャンバスを屋外に持ち出しスケッチします。それまでの日本画といえば屋内で描かれるものが殆どでしたから画期的な方法論です。洋画家・浅井忠、中村不折らを通して写生を知った子規。戦略的に文学に応用しました。

一歩屋外に踏み出せば昨日と同じ風景はもはやありません。空を見上げれば雲のかたちは毎日違います。それを適切に写せば昨日と同じ句にはならないはず。写生の効果は目覚しく、どんどん新鮮な句が作られるようになりました。従来の句が銭湯の富士山だとすれば、写生の句は８Ｋの富士山。

子規以前の句と以後の句を、岸本尚毅さんが比較しています。大変わかりやすいのでご紹介しましょう。まず子規以前の句から。

手をついて歌申しあぐる蛙かな　山崎宗鑑

痩せ蛙負けるな一茶これにあり　小林一茶

宗鑑は室町時代のひとで俳諧の師匠。蛙の姿勢を「手をついて」と表現し、鳴き声を「歌申しあぐる」と謡っています。擬人化が面白いのですが、写生というよりも戯画。一茶は江戸時代の俳人で、掲句は代表作のひとつ。蛙の合唱を鳴き比べに見立て、痩せた蛙を応援しています。まさに俳諧味。傑作ですが写生ではありません。

一方、子規以後の句は、

蛙の目越えて漣又さざなみ　川端茅舎

蛭の紐蛙の目よりたれにけり　相生垣秋津

茅舎の句は、泳ぐ蛙の姿。目まで水に浸かり、漣《さざなみ》がたっています。蛙の目という小さな部分に焦点をしぼり、具体的に写生しているのがわかりますか。秋津のほうはさらに凄い。蛭が蛙の目に噛みつき血を吸っているのでしょうか。もののあわれを超えた、身も蓋もない現実に圧倒されます。想像では決して描くことのできないありのままの自然の姿です。

ところで俳人の片山由美子さんは「俳句の写生とは言葉を発見すること」と述べています。俳句の場合、どんなによく見てもそれだけでは十分ではありません。言葉の芸術ですから、最終的には言葉に置き換える必要があります。

まだもののかたちに雪の積もりをり　片山由美子

降り始めてしばらくたった雪。地上のものを覆いつくしていますが、まだ少し起伏があります。「まだ」という言葉で降り始めてからの時間を。「もののかたちに」で雪に覆われながらも起伏がある様子を表現しています。難しい言葉は一切使っていないのに、情報の的確さに驚かされます。言葉の選択こそ俳句のいのち。写生とは言葉の発見です。

【じゆうりつ】自由律

季語にとらわれず、五七五からも自由な形式の俳句のこと。季語がなくてもＯＫなので、有季定型よりも簡単そうに見えます。ところがどっこい。作ろうとすると実に難しい。下手をすると標語のようになってしまいます。私たちが俳句を作るとき、いかに季語と定型に寄りかかっているかを再認識させられます。

この分野の名句にはこんなものがあります。

墓 の う ら に 廻 る　　尾崎放哉

こんなにも短いのに不思議な余韻に満ちた句。なぜ墓の裏に廻るのか？　作者は何も語りません。語らないことで余韻が増しています。一説によれば墓の裏には故人の業績が刻まれていて、それを確かめようとしている。そうかも知れませんし、そうでないかも知れません。いずれにせよ放哉の辛らつな人間観察の眼を感じないわけには行きません。

まっすぐな道でさみしい　　種田山頭火

こちらも不思議な句。普通、俳句では「さみしい」という言葉は使いません。作者が「さみしい」と書くのではなく、読者に「さみしい」と想像させるのが眼目だからです。それなのに「さみしい」と堂々と書いてあって、しかも他の言葉に置き換えることは不可能。確かに名句ではありますが、この手は一度限り。真似すると二番煎じと揶揄されます。

有季定型の場合は名句を暗誦し、そのかたちを覚えることが実作に役立ちます。しかし自由律の句は覚えても応用がききません。独立峰のように単独でそびえたつのみ。

放哉も山頭火も無頼の人生を送ったひとです。彼らの物語を背後に読み取るからこそ、いっそう句が輝いて見えるのでしょう。自由律の句は作者の人生とワンセットになっています。残念ながら放蕩無頼を実行できない私は、自由律を諦めています。

【しゅさい】 主宰

結社の代表のこと。主宰の仕事とは何でしょうか。結社の代表として会員からの投句の選をし、結社誌に掲載します。かつて高濱虚子が「ホトトギス」の主宰をつとめていたころは大変権威がありました。虚子に選ばれ巻頭に句が載ろうものなら、赤飯を炊いて祝ったと言われています。ところが現代では主宰の役割もだいぶ変わりました。インターネットの時代を迎え簡単に作品を発表できるためか、結社に入る人が減ってしまいました。人手不足に陥って会員の勧誘や、雑用に追われる主宰もいらっしゃいます。結社誌の編集に携わり、大会、鍛錬会、吟行会などの行事を企画し計画を練ります。実作や選もさることながら事務能力も問われるのですから主宰も大変です。

【しょうりゃく】 省略

俳句は短い詩ですから、不要な言葉をいれる余裕はありません。

木の芽雨列車の音の遠くあり　　武井 壮

「俳句さく咲く！」で武井壮さんが詠んだ句です。この句の「あり」が不要と櫂未知子さんに指摘され、次のように添削されました。

木の芽雨列車の音の遠きこと

なるほど、これなら「あり」を省略してさらに「音の遠さ」を強調できます。櫂さんによれば大抵の「あり」は省略できるとのこと。「あり」のほかに「見る」も要注意ワード。もしもあなたの句に「あり」や「見る」があったら、それを省けるかどうかまず検討してみてください。

【じょし】助詞

助詞はネジの役割。名詞や動詞、形容詞といった俳句の部品をつなぎます。ネジ穴にあっていなかったり、脱落していたりするとさあ大変。一句が成り立ちません。次の例を見てください。

運動会午後へ白線引き直す　西村和子
運動会午後に白線引き直す

「午後へ」と「午後に」、一字違うだけですが大きく意味が変わります。「午後へ」は午後に向かっての意味。昼休みに午後の競技の準備をしている光景です。一方、「午後に」だと、午後になってから白線を引いている光景。競技はもう始まっていて、準備作業が間に合っていません（笑）。

勿論、この句は「午後へ」でなくてはなりません。一字の助詞が句の価値を高めもすれば、台無しにもするという好例です。助詞をうまく使いこなせるかどうかが俳句上達の別れ目。俳句女子のみなさん、女子力とともに助詞力のアップが大切ですよ。

【しらべ】

ふはふはのふくろふの子のふかれをり　　小澤　實

しらべとは音楽的な言葉の流れ、リズムのこと。掲句はそのしらべが楽しい作品。「ふはふは　ふくろふ」「ふかれ」と「ふ」が四回。同じ音を繰り返すことを「韻」と呼びます。フレーズの頭なら頭韻。フレーズの最後なら脚韻です。子音はそれぞれ特性を持っていて　Hの音は「ふわふわ　ひゅうひゅう」など、軽さや風を連想する語感。

K音なら「かんかん　きらきら」など光や輝きを。

S音は「さーっ　しゅっ　すー」など、流体のスピード感をよく表します。こうした音の特性に着目して俳句を作るのも大事なこと。声に出して読んだとき、句のよさが引き立ちます。

感性アナリストの黒川伊保子さんによると、G音は特別な響きを持っているとのこと。「がんがん　ぎらぎら　ごつごつ」など、大きくて耳障りな感じになります。怪獣の名前の多くがG音なのも頷けますよね。ガメラ、ギャオス、キングコング、キングギドラ、ゴジラ。

【しんねん】 新年

新年の代表的な季語「初春」の句を歳時記から拾ってみましょう。

初春や人語ゆき交ふ山の町　中村苑子
初春や眼鏡のままにうとうとと　日野草城
初春の風にひらくよ象の耳　原 和子

何か感じませんか？　山の町も、眼鏡も、象の耳も全然めでたくないではありませんか。めでたいのは季語の「初春」だけ。新年の句を詠むこつはここにあります。「めでたくしないこと」。これに尽きます。季語があくまでめでたく、新春を寿いでいるのですから、他の内容をめでたくすると、べたついてしまうのです。

【すいか】 西瓜

西瓜はいつの季語でしょう。夏？　不正解。正しくは秋。では西瓜割りは？　もちろん秋。

不正解。正しくは夏。「西瓜」は植物の季語。一方「西瓜割り」は生活の季語。分類が違います。歳時記は、時候、天文、地理、生活、行事、動物、植物の七つの項目に分類されています。

時候とは、手紙の書きだしの挨拶に使う言葉。「大暑の候いかがお過ごしですか」とか「めっきり涼しくなってまいりました」などなど。「大暑」や「涼し」が時候の季語です。

天文は空を見上げてください。「夏の月」「夏の星」「炎天」。

地理は大地に横たわっているもの。「夏野」「青田」「夏の川」も。水であっても地面にあるものは地理なんですね。

生活はひとの暮らしに関わるもの。たとえば道具や料理の名前です。「ハンモック」や茄子の「しぎ焼き」。茄子だけなら植物の分類ですが、料理されると生活に。人の手が加わると分類が変わります。分類が変わると、西瓜のように季節まで変わってしまうことがあるので要注意。

行事は「こどもの日」とか「愛鳥週間」「朝顔市」。これはわかりやすいですね。太宰治の命日「桜桃忌」のような忌日も行事に入ります。

動物には獣はもちろん虫や魚も含まれます。「守宮」、読めますか？「やもり」と読みます。「翡翠」はかわせみ。コバルト色の小鳥です。「螻蛄」は、けら。難読季語の宝庫です。

植物は「さくらんぼ」や「バナナ」のような果実。野菜。花の名前。「木下闇《こしたやみ》」は木の下の暗がりのこと。闇なのに植物に分類されています。

このように分類はかなりご都合主義的。理不尽といえば理不尽ですが、英文法のように覚えるしかありません。ローマ帝国の哲人皇帝マルクス・アウレリウスはこんな意味のことを言っています。「ものごとに腹を立てても仕方ない。ものごとのほうは我々の感情など知ったことではないのだから」。間違えない方法はたった一つ。その都度歳時記で確認することです。

風呂敷のうすくて西瓜まんまるし　右城暮石
西瓜割る東京湾に星上げて　蜂谷一人

【すうじ】数字

数字を詠みこんだ句は沢山あります。

香水の一滴づつにかくも減る　山口波津女
五月雨や大河を前に家二軒　与謝蕪村
いきいきと三月生まる雲の奥　飯田龍太

みづうみに四五枚洗ふ障子かな　大峯あきら

ぼうたんの百のゆるるは湯のやうに　森　澄雄

数字を入れると描写が具体的になります。これは俳句にとってとてもよいこと。面白いことに一、三、五、七など奇数は詠まれることが多いのに対して、二、四、六などの偶数は頻度が下がるように感じられます。陰陽でいえば奇数は陽で、偶数は陰。日本人の陽を喜ぶ気持ちが表れているのかも知れません。ということは、偶数を詠めば競争相手が少ない筈。特に四、六あたりはねらい目です。

【すぎたひさじょ】　杉田久女（一八九〇〜一九四六）

奔放で天才的な句風で異彩を放った俳人。句柄が大きく、耽美的な美しさを備えた作品で知られます。

花衣ぬぐやまつはる紐いろいろ

Eテレの番組「歳時記食堂」で宇多喜代子さんは、久女をこう評しました。「作品は尊敬します。でも実生活では、あまりお友達になりたくないわね」。どういうことなのでしょう。久女が俳句の師である虚子にあてた手紙が残っています。

虚子先生　只今午前の三時でございます。腹痛がして目が冴えて眠れず、厠《かわや》へ起ようとして雨戸をあけますと、狭い庭土へ、ひるのやうに明るい月光が屋根かげをそれて、四角く落ちてます。（中略）かういふ風な状態にある時恋しいものは青春です。過去です。思出です。芸術です。本です。或いは俳句です。友です。都の灯です。しかし、つかむことの出来ぬ過去と時の推移をいかに悲しんだとて何になりませう。

（杉田久女「夜あけ前に書きし手紙」より）

なかなかの名文です。しかし、師にあてた手紙としては少々変じゃありませんか。午前三時に書いているなんて、まるでラブレターのよう。しかも六年間に二百通以上も。小説家・田辺聖子は久女の心境をこう推理しています。

生きる道を俳句に発見したと同時に、生き甲斐は虚子になった。虚子先生をずっと敬愛しつづけた、といえば、うるわしい師弟愛であるが、年々にその情熱はエキセントリックになってゆく。（中略）恋愛に近い感情が生れ、虚子側近の人々への嫉視や羨望へとなだれてゆく、それは久女にとってごく自然な気持の移行ではないかと思われる。

（『花衣ぬぐやまつわる　我が愛の杉田久女』より）

美術教師の夫を持ちながら、虚子への思いを抱き続けた久女。それが叶えられることはありませんでした。次第に遠ざけられ、ついには破門されてしまいます。

羅《うすもの》に衣《そ》通《どお》る月の肌《はだえ》かな

風に落つ楊貴妃櫻房のまま

「歳時記食堂」に出演したかたせ梨乃さんは、どの句も誰かを待っているようだと評しました。美しいけれどもどこかはかなげな句。久女の自画像そのものではないでしょうか。

【すずきまさじょ】鈴木真砂女（一九〇六〜二〇〇三年）

羅《うすもの》や人悲しますす恋をして

真砂女は恋に生きた女性。千葉県鴨川市の老舗旅館の三女として生まれました。二十二歳で日本橋の靴問屋の次男と恋愛結婚し一児を出産。しかし、夫が賭博癖のあげく蒸発してしまい、実家に戻ります。二十八歳のときに長姉が急死。旅館の女将として家を守るため義兄（長姉の夫）と再婚。三十歳のときに旅館に宿泊した海軍士官と不倫の恋に落ち、出征する彼を追って出奔。その後家に戻りますが、夫婦関係は冷え切ってしまいました。五十歳で離婚し、銀座一丁目に「卯波」という小料理屋を開店。亡くなるまでこの店の女将として暮らしました。この生涯を知れば、掲句に解説は必要ないのではないでしょうか。「羅」は紗、絽、上布などの薄く軽やかなひとえの着物のこと。夏の季語です。羅の女性といえば凛としたたたずまいを思い浮かべませんか。この季語には女性のかなしみと矜持が込められているのです。さて、こちらも同じ作者の句。

死なうかと囁かれしは蛍の夜

「歳時記食堂」という番組でこの句を紹介したところ、壇蜜さんが「私も死のうかと言われた経験がある」と突然告白を始めました。それを聞いた辰巳琢郎さんら男性陣の色めきたったことと言ったら。身を乗り出し「それでどうなったの」と口々に問いかけます。壇蜜さんは「今日はやめとこ、と言って電車に乗って帰りました」と涼しい顔。そのシーンを見ていた私はと言えば、掲句への思いが少々変わりました。それまで漠然と、真砂女の波乱の人生を象徴する一句だと考えていました。間違ってはいないものの、男性から心中を持ち掛けられることが、女性の中である種のプライドにつながっているのだと気づかされたのです。そんなに私は愛されていたのだと。

一句をどう読むかは、読者の人生経験によるところ大。「歳時記食堂」のやりとりで、今更ながら大人の世界への視点が開かれたのです。

【すみたくけんしん】　住宅顕信（一九六一～一九八七）

二十五歳でこの世を去った自由律の俳人。本名は春美。死に向き合いながら、青春性に満ちた句を世に残しました。まずその生涯を簡単にご紹介しましょう。

一九六一年岡山市に生まれ、中学卒業後調理師専門学校で学びながらレストランで働きます。十六歳で年上の女性と同棲。

十九歳で清掃業に転職。このころから宗教と俳句に興味を持ちます。

二十二歳の時京都西本願寺で得度。顕信という法名を得ます。自宅に無量寿庵という仏間を作る一方、一歳年下の女性と結婚。

二十三歳の時に急性骨髄性白血病を発症、岡山市民病院に入院。入院中に長男・春樹が誕生しますが離婚。以後、病室の一角に畳をしいて育児を行います。入院中は俳句作りに没頭し、俳誌「層雲」に投稿。一時小康を得て退院しますが、回復には至らず。

一九八七年二月七日に亡くなります。


顕信は死の直前までの二年八か月間で二八一句を残しました。私はかつて住宅顕信のドキュメンタリーの制作にあたったことがあります。岡山の駅裏にたむろする若者たちに顕信の句を読んでもらったところ、俳句に触れたことのない彼らが口々に「泣きたくなる」と言っていたのが印象的でした。顕信が病室で書いた句がこちらです。（順不同）

夜が淋しくて誰かが笑いはじめた

降りはじめた雨が夜の心音
月明り、青い咳する
若さとはこんなに淋しい春なのか
子には見せられない顔洗っている
ずぶぬれて犬ころ
春風の重い扉だ

【スローモーション】

翅わっててんたう虫の飛びいづる　高野素十

この句は、てんとう虫が茎を登ってゆくところ。先端にたどり着くと、もう登ることができません。さあ、どうするだろうと見ていると、ぱかっと硬い翅が割れ、その下から薄い翅が現れました。羽ばたくや見る間に飛び立ってゆきます。小さな世界をルーペで覗きスローモーションにしたような味わいがある一句。俳句では、一瞬の動作を丁寧に描写することで時間がゆっくりと過ぎるような効果が生まれます。

【せいき】　清記

句会で出句された句を用紙に清書することです。この作業によって作者の筆跡が消え清記者の筆跡に変わります。筆跡から作者を推すことが出来なくなり、純粋に句のよしあしだけを判断するようになります。とはいえ、世の中には達筆な方も悪筆の方もいるもの。上手な字で書かれた句はよく見え、汚い字で書かれた句は、それなりに見えるもの。心の中で字のうまいあの人に清記してもらいたいと願ったりもします。到底かなわぬ願いではありますが。

もしも書き間違ったら修正液で丁寧に直します。上からボールペンでぐちゃぐちゃと塗りつぶしたりしてはいけません。最後に清記者の名前を記します。私が責任をもって書きました、というしるしです。

さて、こんなに注意していても問題が起こることがあります。なんということでしょう、清記された句が間違っていることがあるのです。作者自ら訂正するわけにはいきません。誰が作ったかばれてしまいますからね。そんなときは披講するひとに静かにメモを回します。口頭で訂正してもらうのです。

俳人の西村和子さんは選句とは「他人の句を選ぶ時間であるとともに、自分の句と再会する時間」と述べています。美しく清記された句が自分のところに回ってくると、立派になった我が子との再会のように感じられます。

【せいざ】　星座

古代ギリシャの人々は夜空を見上げて、神々や神獣などの姿を見出しました。手元に星座の図として名高いフラムスチード天球図があるのですが、図の精緻さとくらべて、構成する星の数があまりに少なく首を傾げてしまいます。

例えばカシオペア座。カシオペアはエチオピアの王妃で、娘アンドロメダの美貌を自慢したため神の怒りを買います。娘を海の怪物のいけにえに捧げなければならなくなり、その窮地を救うのが英雄ペルセウスなのですが、本稿とは関係ありません。カシオペアは北天に見られる星座ですが、わずか五個の二、三等星がWの形に並んでいるだけ。Wからエチオピアの王妃を連想するのは、かなりの離れ業です。

人間の脳には、部分から全体を想像するという機能があります。欠けた部分を補うことが出来るからこそ、星座が生まれ語り継がれてきたのです。実は、俳句もこの脳の機能に依っていると私は思っています。次の句を見てください。

巻尺を伸ばしてゆけば源五郎　　波多野爽波

すごく省略がきいた一句です。巻き尺を伸ばしてゆけば、通常まず地面があり、草がはえており、水辺があり、水面があり、その先に源五郎がいた筈です。ところがこの句では地面、草、水辺、水面をすっとばして、いきなり源五郎に行き着きます。水辺や水面は書かれていませんが、それでもちゃんと想像できる。それが脳の働きです。わずか二～三の単語から大きな世界を再現。まるでフリーズドライの粉にお湯をかけて、香り高いコーヒーが生まれるようなものです。世界を圧縮したものが俳句。お湯をかけて解凍するのがあなたの脳。

【せいぶん】成分

季語は感覚を呼び覚ます力を持った言葉です。「梅の花」といえば、色とともにその香りを。「潮干狩」といえば、浜辺の光景とともに海の匂いや波音、水の冷たさを。「バレンタインデー」といえば、必ずチョコレートの甘さや色を想像します。色や光景は視覚。波音は聴覚。匂いは嗅覚。冷たさは触覚。甘さは味覚です。これらの五感に加えて、季語は連想力も膨らませます。西行忌（旧暦二月十六日）といえば、平安時代の漂泊の歌人、西行の生涯を思い浮かべます。五感プラス連想力。夏井いつきさんはこの六つを「季語の成分」と呼んでいます。

ある季語を分析してみて、足りない成分があったとしたら、そこは先行句や類想のない分野。匂いのなさそうなものの匂いを敢えて詠んだり、音のない世界に想像の音を付け加えたりすることで、一句の世界が広がります。それは、あなたが開拓する新しい季語のフロンティアなのです。

麦秋の櫂を濡らしてもどりたる　　夏井いつき

麦秋とは、麦の実りの季節。秋という文字が入っていますが季節的には初夏にあたります。一面の黄色い麦の波が続く畑。むせかえるような匂いに包まれ、麦の穂は触れると怪我をしそうなとげとげしさを持っています。ざわざわと風は音を立て、空気はほこりっぽい味。ゴッホの遺作となった黄色い麦畑と烏の絵を連想します。この中にないものといえば水分。水の感触だけが足りません。それを見事に詠んだのが掲句。いい句には確かな理由があります。

【せいり】整理

あなたは自作の俳句を、どのように保存していますか？　案外作りっぱなしの方が多いもの。

しかし、整理をきちんとしておかないと、後々後悔することになります。作ったら、まずパソコンに打ち込みましょう。エクセルかワードがお勧めです。そして、残したい句は緑、賞に応募したら黄色、入賞したり掲載されたりしたら赤などと、色を付けて保存します。賞の多くは「自作の未発表の作品に限る」とうたってある筈です。うっかり複数の賞に同じ作品を投稿してしまったら二重投稿となります。折角入選しても入選取消し。それを避けるために、整理が必要なのです。パソコンがいいのは、検索できる点。「ワード」でもキイワードで検索出来ますし、エクセルなら季語別にソートをかけて並び替えることも可能。例えば「春雨」で作った自作をずらりと一覧表示できるので便利なことこの上なし。自作の癖や足りない点をつぶさに把握することができます。さらに将来句集を作ることがあったら、自作のリストが大変役立ちます。では、いつやるか？　今でしょ。あのＣＭの言う通り。整理がまだのあなた、是非今すぐ始めてください。

【せきだい】　席題

火事場の馬鹿力です。句会の場で出される即興の題のことで季語のこともそうでないこともあります。大体二～三十分で一～二句作ることが多いようですが、慣れてくると一分、いえ十秒で一句作ることも平気になります。俳句は文芸ですが、同時にゲーム的な要素を併せ持っていて、作り方のコツや攻略法も確かにあるからです。

さて先日の句会で「キュー」という音の詠み込みが席題となりました。いきなりキューと言われてもねえ、大変困りました。みんなも出来ないだろうな、とそっと顔色を窺うと案外平気な様子。締め切りには見事に句が出揃いました。

潮満つる夜は鹿の子のキューと鳴く
急行の停まらぬ町や大試験
風光る開幕戦の始球式
旧家なり大人ばかりの雛祭
下宿屋に胡弓の調べ春満月
春雨や九官鳥は姉の声
読み直すキューを待ちをる遅日かな

やればできるものですね。ところで最後の句のキューは説明が必要かも知れません。こちらはテレビ局のキュー。動作の開始にディレクターが出す合図のことです。苦し紛れに作った割には、結構さまになっています。

こんな風に、席題には俳人の隠れた能力を引き出す力があります。それどころか、その人の代表句となる場合さえあるのです。宇多喜代子さんの有名な句もそうだとご本人に伺いました。

大きな木大きな木陰夏休　　宇多喜代子

【せんく】選句

実作と選句は俳句の両輪だと言われます。実作の腕が上がれば選句が上手になります。選句が上手になれば作るほうも巧くなります。私はこの関係を、野球の打撃と守備になぞらえています。実作は打撃。選句は守備。打撃はスランプがありますが、守備にはありません。誰にも俳句が作れなくなる苦しい時期がありますが、そんな時にも誠実に選句をしたり丁寧に鑑賞することは出来ます。たとえ句会で一句も自作を取ってもらえなくても、うまく選句できた日は少し心が晴れるものです。

ところで岸本尚毅さんは「鑑賞力の限界が選句の限界であってはならない」と言っています。どういう意味でしょうか？　選句すれば選んだ理由を句会で述べなければなりません。ところが、好きだけれどもはっきりと理由が述べられないことがしばしばあります。そこで無難に理由を言えそうな句だけを選びがちです。

しかし、理由をはっきり言えない句こそ、本当に優れた句かもしれません。あなたが、ダリの絵を好きだとして、その理由を言葉にできますか？　言葉にできなくてもダリが好きだという事実は変わりません。理由が言えなくても、好きだという事実にこそ向かい合うべきなのです。理由を言葉にしようとする過程で、あなたの俳句観がとぎすまされてゆきます。

【せんりゅう】川柳

かつて、ある政治家が「私の俳句は川柳のようなもの」と謙遜してみせたところ、川柳愛好家から猛抗議を受けたことがありました。川柳は俳句の季語がないもの、俳句より一段劣ったものと考える方が多いようですが、それは誤り。俳句と川柳は同じ五七五の詩型を持っていますが、全く別のジャンルです。川柳と言えば世相を風刺したものがすぐに思い浮かびます。しかし、それだけではなく、シリアスで芸術性にとんだものや季語を備えたものもあります。現代川柳を代表する作者のひとり、時実新子（一九二九〜二〇〇七）の作品を見てみましょう。

れんげ田を千枚越えて逃げられぬ
もしかして椿は男かもしれぬ
どこまでが夢の白桃ころがりぬ
逃げてきた町で鰯を手摑みに
急に暗くてぶどうの房を裏返す

素敵な句ばかりです。それに、れんげ、椿、白桃、鰯、ぶどうはいずれも季語。俳句との違いは何なのでしょうか。

ちょっと難しい言い方をすれば「切れ」の有無。俳句には切れがありますが、川柳にはありません。切れは映像の編集点のように、二つの異なる世界をつなぐもの。ですが、切れを知らない初心者にとって意味のとりにくいものとなる危険性もはらんでいます。一方、川柳は上から下へすらすら読んで、容易に意味を取ることが出来ます。

この定義が難しければ、次の逸話はどうでしょう。部屋に大勢の人が集まっています。そこに川柳の作家が入ってきました。彼女（彼）は、人々の顔をまじまじと見、服装や会話の内容に注意を払いました。やがて俳句の作家が入って来ました。彼女（彼）はどうしたでしょう。人々の間を通り抜け、窓辺に向かうと空の様子や外の景色を眺め始めました。人を詠むのが川柳。自然を詠むのが俳句。切れの有無が形式的な区別であったのに対し、この逸話はテーマ設定の違いを表しています。

【そーだすい】　ソーダ水

三人の一人は無言ソーダ水　　西村和子

「ソーダ水」は夏の季語。しかし最近あまり見かけなくなりました。コーラやジンジャーエールに舞台を奪われています。ですからこの句を見ると、今のことではなく昭和の話かなと思います。ここからは私の妄想です。きっと三人のうち二人は友達。一人はデートの相手。一対一のデートが気恥ずかしいので友達に付き添いを頼んだのです。高校生にしては幼いから中学生。良くしゃべっている二人は男性で友達同士、黙っている一人が女性。それとも二人が女性で一人が男性? いや、違うな。やっぱり二人が男性。こんな風に妄想が膨らむのは季語が「ソーダ水」だから。青春の飲み物です。ビールだと、いきなり大人の恋愛になってしまいます。それはそれで興味深いのですが。

【そんもん】 存問

存問とは挨拶のこと。日本最古の書物『古事記』にはイザナギとイザナミの挨拶が記されています。まず女神が言います。

阿那邇夜志愛袁登古袁（あなにやしえおとこを）

ああ、なんという見目麗しい人でしょう。男神が応えます。

阿那邇夜志愛袁登売袁（あなにやしえおとめを）

ああ、なんて見目麗しい乙女だろう。節をつけて謳われたであろう、この呼びかけあいが歌の起源とされます。更に出雲で妻を娶ったスサノオが喜びを歌うシーンでは五七五七七の和歌が記されます。

八雲立つ出雲八重垣妻籠みに八重垣作るその八重垣を

歌意は、「八重に雲は立ちのぼる。その名も出雲の国に、雲は立ち、八重の玉垣をなして私の宮殿を取り囲む。私はいま妻を得て、この宮殿を建てるのだが、私と妻を閉じ込めるように、雲は立ち、八重の玉垣をつくる。ああ雲は、八重の玉垣を作っている」。

ここで古代人になったつもりで考えてみてください。あなたは知らない土地を旅しています。もちろんＧＰＳもスマホもありません。地形もわからず、土地の習慣も知らず、もしかしたら言葉も十分通じないかもしれません。そんなところを無事通過するには何が必要でしょうか。古代の人にとっては、それが歌だったのです。土地の名を詠むことは土地の神への挨拶。歌で旅の無事や平穏、一族の繁栄を祈念したのです。

さて和歌の伝統を受け継ぐ俳句。俳人の星野高士さんはこう記しています。

（俳句の）原点は何であろうか。それは挨拶である。（中略）それゆえ俳句は存問の詩と呼ばれる。存問とは人の安否を気遣う心である。さて人に対しての挨拶はわかりやすいが、では、ものに挨拶するとはどういうことか。それはたとえば花が咲いたら「よく咲いてくれたね」、盛りを過ぎたときには「散り際がきれいだね」などと季題に対して語りかけることだ。そしてこういう挨拶心を作品にしていくのが句作である。

（『俳句真髄・鬼の高士の俳句指南』）

【た】行

【だいざい】題材

何を題材にしていいかわからないときは、その場にある違和感を詠んで成功する場合があります。例えば神社の鉄柵です。もともと鳥居や建物はあったでしょうが、立ち入り禁止の鉄柵などは、比較的新しいものでしょう。違和感があります。でも、そこに着目することでささやかなオリジナリティーが生まれるのです。あえて言えば、カメラを向けるとき写ってほしくないもの、それが違和感です。時代劇のバックの電柱とか、マンホールや道路工事のようなもの。詩歌とは無縁と思われているものを詠み込むことで、ディテールのくっきりとした句になります。詠んだ人が少ないので注目を浴びやすく、類想の心配もありません。

真上から見るガス工事冬の雨　上田信治

都会の風景です。ビルの上から見下ろすガス工事。地面に大きな穴が掘られていて、冬の雨が真っ黒な穴に吸い込まれてゆきます。真上に据えたワイドレンズが、雨が湾曲しながら落ちてゆく様を見事に捉えています。こんな殺伐としたものに詩を感じることができれば、あなたもいっぱしの俳人です。

【タイムラプス】

さくら咲く氷のひかり引き継ぎて　大木あまり

俳句を動画ととらえた場合、時間を早く進める技法を用いた句に出会うことがあります。通常のビデオであれば一秒三十コマですが、一秒一コマとか、一分一コマというように間隔をあけて撮影します。すると三十秒が一秒に。三十分が一秒に。早送りの映像が出来上がります。花が高速で開いたり、月と太陽が天空を駆け抜けたりする映像をご覧になったことがあるでしょう。最近の動画の世界ではタイムラプスとも呼ばれます。

掲句は、それを思わせる一句。川か湖のほとりの桜でしょうか。初め、水面は氷に覆われています。日がさしてみるみる氷が溶け桜が開きます。氷の光がそのまま桜に移ったかのように見える動画です。一か月くらいの映像が一句になっている感じでしょうか。時間をコントロールすることで、現実では感知しえない美を作り出すことができる。そんなことを教えてくれる一句です。

【たかのすじゅう】 高野素十（一八九三〜一九七六）

くもの糸一すぢよぎる百合の前

大正末期から昭和初期にかけて活躍した四Sといわれる俳人たちがいます。水原秋櫻子（みずはら・しゅうおうし）、山口誓子（やまぐち・せいし）、高野素十（たかの・すじゅう）、阿波野青畝（あわの・せいほ）。四人とも名前がS音で始まるので四S。いずれも高濱虚子の門人です。秋櫻子と素十は東大の医学部出身で友人。秋櫻子が虚子の写生にあきたらなくなり、和歌の要素を俳句に加えようとして離れていったのに対し、素十は写生を信奉し、生涯虚子に従いました。「俳句の道は、ただ、これ、写生。これ、ただ、写生」という言葉を残しています。さすが素十先生！

掲句は素十の写生の眼が生きた一句。蜘蛛の糸が一筋。それが百合の前にある。非常に細くすぐ切れてしまいそうな蜘蛛の糸と大輪の百合の花との対比が鮮やかです。蜘蛛の糸がよぎる一瞬、きらりと百合が輝くような効果をあげています。

【たさくたしゃ】　多作多捨

　俳句の初心者から中級者に進むためには一万句作ることが必要と言われます。では、どのくらいの期間で作るのかというと人によって違います。たとえば毎日十句ずつ作ると一年で三六〇〇句。三年で初心者を脱することができます。一日一句では中級に進むまでに三十年。これはちょっと長すぎます。いつまでに中級へと、自分なりの目標をたて、それに応じて作る句の数を決めるのがよいと思います。

「多作多捨」は俳句の上達法として名高いことば。沢山作って沢山捨てるという意味です。多く作ることで、自分の俳句の癖がわかります。例えば「かな」の句ばかり作っているとか、好きな季語ばかり使っているとか。句集を編むときには、なるべく色々な季語を使い、形式も多様であることが求められます。まだまだ句集なんて、と言わないで準備しておくことが大切です。

　ところで作るよりも難しいのが捨てること。自分の作品には愛着がありますから、我が子を可愛がるように、欠点のある句を愛してしまいます。自作を客観的に見なければ捨てられません。そのために一定期間抽斗にしまっておくことをお勧めします。出来上がったばかりの自作は捨てられませんが、一年前に作った句なら他人の作品のように客観視することが可能です。

一年置いておくのが無理でも最低三日くらいは。作ったばかりの句を句会に出すのは、ちょっと待ってください。

【ただごと】

当たり前の景色を当たりまえに詠むことを「ただごと」と言います。波多野爽波という俳人にこんな句があります。

鳥の巣に鳥が入ってゆくところ　　波多野爽波

「鳥の巣」が春の季語。そりゃそうでしょう、と突っ込みを入れたくなります。鳥の巣に蛇が入っていったら事件ですが、鳥が入るのは当たりまえ。では何故この句が名句とされているのでしょう?

私なりの答え。フツーのことをあえて言葉にすることで、不思議な世界が立ち現れるからです。

テレビのプロデューサーとして何度もロケに行きましたが、出演者に「普通に歩いてください」というと歩けなくなることに気づきました。意識すればするほどロボットのようになり、右手と右足が一緒に出たりします。体の動きは無意識に制御されていて、左手と右手を同時に出そう、などと考えながら歩いている訳ではありません。そこに指示が入ると、自分の体でありながら自分のものでないような違和感が立ち現れます。つまり「毎日の生活の中で我々はフツーを意識することがない」ということ。

このフツーの不思議さを気づかせてくれるのが詩です。掲句は、見過ごしているフツーの鳥の巣が、あえて言葉にされることでフツーでなくなってしまう瞬間を捉えています。日常がなにか少し違う場所に見えてくる。そんな効果をあげるのが「ただごと」。

ところで、短歌の世界では、ただごとを更に意識的、積極的に詠っており「ただごと歌」というジャンルさえあるほど。奥村晃作の歌はその典型です。短歌は俳句よりも長い分、一層ただごと感が際立つようです。

副都心線で横浜直通の地下鉄赤塚駅を利用す

鳥たちの頭小さい　鳩見ても体に比べ頭小さい

俊介出、北條繋ぎ福留のセンター犠打でサヨナラ勝ちす

「死なねーよ」と叫びし石井は生きていて昨日の会でおしゃべりもした

じゃんけんと蛍を結び付けたのは池田澄子の秀吟である

（奥村晃作歌集『八十一の春』より）

【たんか】短歌

短歌と俳句はともに短詩型文学と呼ばれるジャンルに属していますが、内容は野球とサッカーほど違います。短歌はご承知のように五七五七七。俳句は五七五。七七が違うだけのように見えますが、それだけではありません。短歌は自分の内面を歌います。一方俳句は、自分が目にしているものを詠みます。短歌の視線は内側へ。俳句の視線は外側へ。ベクトルが真逆なのです。

試みに短歌の会と俳句の会の両方に出席してみてください。短歌の会は比較的静かに行われますが、作品の批評は細部にわたり時に辛辣です。一方、俳句の会は賑やかで、批評はあまりせず作品をよく褒めます。歌人は華やかで色っぽい雰囲気の方が多く、俳人は楽天的でさっぱりした方が多いように感じられます。恋人にするなら歌人、友人にするなら俳人。短歌、俳句を続けるうちにそれぞれに見合った性格に変わってゆくのでしょうか。長年やっているうちに、職人は職人らしく、おたくはおたくっぽく、なってゆく、みたいな。

【ちめい】　地名

土地の名前を俳句にいれることで、具体性を高め印象を鮮やかにすることができます。

みちのくの淋代《さびしろ》の浜若布寄す　　山口青邨
祖母《そぼ》山《さん》も傾《かたむく》山《さん》も夕立かな

青邨は地名を詠むこむ名手で、両方とも名句として知られています。淋代と聞いただけで、寂しそうな風情が漂ってきます。実際に若布《わかめ》が寄せるのかどうか知らなくても、いかにも寄せそうだなと納得させる力を持っています。祖母山、傾山のほうは何ともユーモラス。

たんぽゝや長江濁るとこしなへ　　山口青邨

長江という中国の地名を詠んだこの歌も青邨作です。こうした外国の地名も効果的なので是非使ってみてください。例えばベルリン。森鷗外の「舞姫」にも登場する地名です。伯林と漢字表記にすると一層古めかしい感じ。

伯林と書けば遠しや鷗外忌　津川絵理子

巴里（パリ）、倫敦（ロンドン）、羅馬（ローマ）、紐育（ニューヨーク）、いずれもワープロで漢字変換できる都市名です。

【ついく】対句

鞦韆《しゅうせん》は漕ぐべし愛は奪ふべし　三橋鷹女

この句は「漕ぐべし」「奪ふべし」と、「べし」が繰り返されています。こうした表現を対句と呼びます。鞦韆とはぶらんこのこと。「鞦韆」と「愛」という一見異なるものを並列する面白さに気づきましたか。対句は漢詩によく用いられる形式で、リズムを整える効果があります。童謡の「雪やこんこん、あられやこんこ」の、雪とあられのように似たものを並べることもあれば、掲句のようにジャンルの違うものをあえて並べる例もあります。何を並べるかで味わいはかなり異なります。

【つかずはなれず】 つかず離れず

取り合わせの句について、季語とその他の部分の関係について「つかず離れず」ということが言われます。ところが、どのくらいが適正な距離なのか、なかなか教えてもらえません。それは作者であるあなたが考えるべきこと。師匠はあなたの作品を見ていいとか悪いとか言ってはくれても、一般的なルールまでは指摘してくれません。これは師匠が意地悪なのではなく、そもそも包括的なルールがなくケース・バイ・ケースで判断するしかないからです。

私はつかず離れずを、地球と月の関係になぞらえています。季語が地球。その他が月。地球には大きな引力があり月をつなぎとめています。もしも地球の引力がもっと強かったとしたらどうでしょう。月をは地球に落下してしまいます。もっと弱かったらどうでしょう。月は地球の軌道を離れて太陽系の彼方へ飛んでいってしまうでしょう。地球と月の関係はほどよい重力バランスによってなりたっているのです。この重力バランスこそ、絶妙な距離。季語の力が強ければ、月との距離は大きくとることが出来、季語が弱ければ月を近づける必要があります。力が大きな季語とは、雪月花のような古典的な季語。弱い季語とは、明治以降登場した「冷蔵庫」や「遠足」のような新しい季語。さて、春の歳時記の時候の最初の見出しは「春」。続いて陽春、芳春、三春、九春という小見出しが並んでいます。この中で一番強いのが見出しに使われている「春」。残りは傍題とか副季語などと呼ばれ、やや弱いとされています。このような季語の強弱にも注目することで、ほどよいバランスを取ることができるようになるのです。

水の地球すこしはなれて春の月　　正木ゆう子

【つべこべ】

つべこべ言う俳句は嫌われます。つべこべとは、道徳、教訓、理屈、分別、気取り、風流、人情などのこと。つまり「いいことを言ってやろう」と自信満々な句です。作者の意気込みとは裏腹に、空虚なスローガンに感じられてしまいます。

道徳、教訓、分別、はわかりますよね。ものには本音と建て前があり、この三つはいかにも建て前。押し付けられると「うるせえよ」と言い返したくなります。芭蕉は「俳諧は三尺の童にさせよ」と言いました。小さな子どもには、おもねりや先入観がありません。素直な目で見て句に詠むことこそが大切という教えです。俳句の世界に俗世間の処世術を持ち込む必要はありません。

では、気取りは？　度が過ぎると鼻持ちならない感じ。風流は？　一見いいことのようですが、ともすれば通俗的になりがちです。「梅にウグイス」や「ススキに月」など芝居の書割のような句はいただけません。最後に人情。家族愛、隣人愛、師弟愛などを詠むには、具体性や斬新な切り口が必要です。一般論で終わっては、べたべたな甘ったるい句になってしまいます。

朝顔や百たび訪はば母死なむ　　永田耕衣

禅の味わいのある句を残した耕衣。母を詠んだ句としては異色の作品です。実は耕衣の母思いは有名で、九十歳で母が亡くなるまでの二十年間訪問のたびに自らあんまを行ったそうです。ですが、そのエピソードを俳句にしても「いい作品だね」で終わってしまいそう。掲句のようなインパクトはとても望めません。

母死ねば今着給へる冬着欲し

こちらも耕衣の作品。一筋縄ではいかない作品が続きます。人情を詠むならこのくらいの迫力が欲しいと自分に言い聞かせています。

【で】 助詞

響きが美しくないからでしょうか、俳句では濁音が嫌われます。助詞の「が」や「で」が出てきたら要注意。主格の「が」は大抵の場合「の」に置き換えられます。場所や手段、理由などを示す「で」は「に」に置き換えることが出来ます。例えば「鉛筆で」というところを「鉛筆に」と言い換えてみてください。あなたの句の評価がちょっとだけ高まるはずです。

花冷や鉛筆で描く頬の影
花冷や鉛筆に描く頬の影

【ていけい】 定型

俳句の五七五の形式を定型と呼びます。そもそも俳句は俳諧（連句）から始まりました。連句ではまず五七五の発句を立て、それに別の人が七七をつけます。それに五七五をつけ、また七七とつないでゆきます。多くの人が参加してひとつの作品を作り上げる面白さがあり、室町から江戸にかけて流行しました。この俳諧の発句が独立したものが俳句。だから俳句は五七五なのです。

このリズムは日本人の生活にしみついています。今でもツイッターには次のような表現が出てきます。「思い出す前に忘れてしまったよ」「コーヒーを淹れてくれればお小遣い」知らず知らずのうちに五七五になっています。

折角の機会なのでこの五七五を分析してみましょう。お父さんが大好きな歌を思い出してください。演歌や民謡は大抵四拍子。ゆっくりと手を打つリズムです。四拍子の一小節は八分音符八つで出来ています。五七五にあてはめると次のようになります。

♪♪♪♪♪𝄾𝄾𝄾　タタタタタ
♪♪♪♪♪♪♪𝄾　タタタタタタタ
♪♪♪♪♪𝄾𝄾𝄾　タタタタタ

この休符がポイントです。八分休符といい、長さは八分音符と同じ。しかし休符ですから音を出しません。お酒を飲みながら手拍子を打つと、手を摺り合わせる人がいます。その間《ま》こそ休符です。五拍歌って三拍休み。この間に手を摺ります。七拍歌って一拍休み。ここでは息継ぎ。最後に五拍歌って三拍休み、手を摺ります。

このリズムが心地いいのは実際に歌ってみるとわかります。本当は四拍子で八分音符八つずつなのですが、休符が入るから五七五。休符が入らないと息継ぎや手摺りができないのです。俳句は詩歌の一種です。歌の原義は「訴える」。声に出して思いを訴えるのが歌。声に出すからには手拍子や息継ぎも必要になるでしょう。歌が朗誦された時代、このリズムは当たり前のものでした。短歌は五七五七七、長歌は五七五七の繰り返しの最後に七をつけたもの。日本の詩歌はすべてといっていいくらい、五七の音数を基本にしています。俳句が五七五の訳、納得していただけましたか?

【てらやましゅうじ】　寺山修司（一九三五〜一九八三）

秋風やひとさし指は誰の墓

十代で歌壇に登場し、詩や演劇、映画など様々な言語活動を行った寺山。その出発点は俳句でした。寺山の句は目に見えない世界を言葉に写し取り鮮烈なイメージを投げかけます。「ひとさし指は」までは普通に読めて、最後の「誰の墓」で大きな展開を見せる掲句。シュールな味わいの句ですが、私なりに読み解いてみると、ひとさし指は誰かをそしる指。指を向けられた人は中傷の世界に引きずり込まれます。つまり、ひとさし指は人を葬る指。指させば秋風にのって中傷の声が広がって行くよ。そんな解釈も出来そうです。いずれにせよ一筋縄ではいかない寺山の世界。甘い悪夢のような後味です。

【てんさく】 添削

一種の魔法、または錬金術。鉛のように濁った句の数文字を変えるだけで、黄金に生まれ変わります。俳人の井上弘美さんは添削の名手。その特徴は元の句のいいところを残すところ。というと「？？？」の声も上がりそうですが、世の中には原句をあとかたもなく粉砕する先生もいらっしゃるわけで。そうなると添削ではなく改作となってしまいます。例えば先日の句会に出た次の句。井上さんがどう添削したか見てみましょう。

筍 の 姫 皮 ま で も 食 い つ く す

どうです。なんとなく、俳句っぽくないですよね。どこがいけないのでしょう。まず、食うという動詞がいらないと指摘されました。なるほど、筍は食べるもの。わざわざ言わなくても食べるに決まっています。では、どこを残せばいいでしょう。井上さんは「筍の姫皮」に注目しました。筍の部分に踏み込んでいます。神は細部に宿る。全体を詠うより部分を詠むほうが具体性が増すというもの。さらに姫皮はかなりおいしい部分。ならば「までも」は変ですよね。姫皮がまずいとされているのなら「までも」で正解ですが、美味しいのなら別の言い方が必要です。結局こんな風に添削されました。

筍の姫皮なれば焼きにけり

わお、がぜん俳句らしくなりました。井上さんによれば、食べ物季語の場合は料理法や食べ方をいれるとよいとのこと。なるほど。普通茹でて食べる筍を焼くといわれると、がぜん香ばしい匂いが立ち上がってきます。焼いてどうするの？　と尋ねる人はいませんよね。食べるに決まっています。おいしいお酒までついてくるように感じるのは、「焼く」という動詞のおかげでしょう。気の利いた小料理屋のような洒落た雰囲気まで漂ってきませんか。

俳句は小さな詩型。多くを言おうとするとすぐに破綻してしまいます。このくらいの情報量がちょうどいい。だけどありきたりではなく、ちょっとだけ気の利いたものにしたい。そんなときには動詞の選択が大切です。

さて井上さんからのアドバイス。初心者の方が俳句を作るときは、必ず一句を完成させること。言葉の断片だけでは添削のしようもありませんし、定型感覚も身に付きません。このケースのように欠点があっても一句にまとめることで、次のステップ＝添削へと進むことが出来るのです。

さて同じ作者のこんな句もありました。

朝掘りの竹の子ゆでて昼に喰う

こちらも俳句らしくないですね。その理由は「朝掘り」「昼に」と午前中の長い時間が描かれていること。俳句は言葉の写真と言われます。シャッターチャンスは一瞬。井上さんには到底及びませんが、そのやり方を真似て添削してみることにします。

まず残すフレーズを決めます。竹の子は食べ物だから「喰う」は不要。「竹の子ゆでて」を残すことにします。ここで考え方は二つあります。茹でるのは室内ですから、室内のものを取り合わせる。

竹の子を茹でて厨のととひぬ

厨とは台所のこと。竹の子をゆでることで台所のありようがびしっと決まった、という句です。もう一つは屋外の景や地名を詠み込むこと。世界が広がります。

竹の子を茹でて嵯峨野の風つのる

嵯峨野は筍の産地として知られる京都の地名。風つのるで、これから何かが起きる予感が漂います。もう一点指摘すると、原句では「掘り」「ゆでる」「喰う」と動詞関連の語が三つ入っています。正確には「朝掘り」は名詞ですが、「掘る」という動詞が名詞化したもの。だから読んだ印象は、動詞が三つあるように感じられます。一句に動詞はで出来れば一つ。せめて二つまで。添削した句も動詞は二つになっています。動詞が多いと印象が散漫になってしまうのです。いい句の理由をあげるのはなかなか難しいものですが、悪い句の理由はすぐにあげられます。いいですか。シャッターチャンスは一瞬。動詞は二つまで。

【とうく】 投句

ギャンブルのようなもの。リスクが高いほど収益も高くなります。ちなみに競馬の必勝法は、穴の馬に賭け続けることだそうです。ここでいう必勝とは勝ち数が負け数を上回ることではなく、賭けた金額を回収した金額が上回ることです。いくら勝ち越しても金額で損をしては哀しいですからね。ある理論によれば、テッパンの馬はリターンが低いため、長い目でみれば損益分岐点を下回り損をするそうです。投句も同じように、少々の冒険が不可欠。先生のコピーのような句を作り続ける人もいますが、それでは大きな成功はのぞめません。

ところで「NHK俳句」には、毎週数千の投稿があります。そのうち入選作はたったの九句。厳しい戦いと言わざるを得ません。インターネットによるものと、ハガキによるものがあり、ネット投稿が数では過半数を占めます。ところが選者の方に伺うと、内容はハガキのほうが圧倒的に優れているとのこと。ネットでは無料で何句でも投稿できますが、ハガキは六十三円払った上に、一葉に一句しか書けない決まりです。当然、一句に対する集中力に大きな差が出ます。またハガキは自筆で投稿するので作者の人柄が文字に表れます。美しい字や迫力のある字はおのずと選者の目を捉えます。毛筆や万年筆で丁寧に書かれた文字は内容を保証しているようにも思われます。これらの諸要素を勘案すると、ハガキのほうが入選の確率が高まるようです。

ただし、目立たせようとして蛍光ペンで句をマークしたり、花柄で句を囲んだりするのは逆効果。いや、結構いらっしゃるんですよ、そういう方が。いい句はそんなことをしなくても、目に飛び込んでくると選者はおっしゃいます。また、間違った字をペンでグジャグジャ塗りつぶすのもご法度。番組の事ではありませんが、ある著名な俳人が修行時代、締切まで時間がなくてそういう投稿をしたことがあったそうです。普段柔和な先生から直々に電話がかかってきて、厳しく叱責されたとのこと。足が震えたとおっしゃっていました。

【どうし】動詞

動詞は一句に一つが原則です。せめて二つまで。三つとなると成功例が極端に少なくなります。多いのは困りますが少ないのは一向に構いません。動詞のない名句は沢山あります。

眼薬のおほかた頰に花の昼　安住　敦

目薬を「さす」という動詞がなくても「頰に」で充分わかります。省略できる動詞は思い切って省略してしまいましょう。勿論どうしても動詞を用いないといけない場合もあります。その際にはどの動詞を用いるかに注意を注いでください。推敲という言葉の語源となった逸話は、唐の詩人・賈島が、

僧は推《お》す月下の門
僧は敲《たた》く月下の門

のどちらにするか苦慮し韓愈に問うて「敲く」に決したというものでした。「推す」と「敲く」確かにかなり印象が異なります。

さて先日の句会でこんな句が出ました。

長閑しゃ昇降機降りチンと鳴り　　茂克

「昇降機」はエレベーター。「チンと鳴る」のは最新型ではなく古いデパートにあるような旧型のものでしょう。速度も遅く、いかにも長閑。気分はあっているのですが動詞が「降り」「鳴り」と二つあります。作者に尋ねると「『り』を重ねてリズムを出すために敢えて動詞二つにした」とのこと。よく考えています。しかし、このままでは昇降機が下の階へ降りたのか、作者が昇降機を降りたのかわかりません。この場合は、やはり動詞を一つにしたほうがよいでしょう。

長閑けしゃチンと鳴りたる昇降機

【どくしゃ】 読者

あなたの素晴らしい俳句の価値を決して理解しようとしない人たちのこと。大抵の場合、あなたが一番自信のある句は、読者の目に止まらずスルーされてしまいます。句会であれば無点。句集であれば黙殺。賞であれば落選です。しかし、あなたの句は素晴らしく、読者には見る目がないのですから、落ち込む必要はありません。あのゴッホですら生前には絵が売れなかったではありませんか。あなたの句が称賛を得る日は必ずやってきます。

【とられなかったく】 取られなかった句

取られなかった句は、寂しい存在です。句会では点の入った句の作者だけが名乗ることが出来、選評を聞くことが出来ます。無点の作者は、何故選ばれなかったのか尋ねるチャンスがありません。理由を聞くことが出来れば改善する方法も見出せますが、スルーされてしまうとどこが悪かったのか　いつまでもわかりません。そこで句会の終了後、先輩方に尋ねてみることをお勧めします。季語がきいていない、とかリズムが悪いとか、親切に教えてくれる筈です。もしかしたら俳句以前の問題、誤字や脱字があったのかも知れませんよ。

【とりあわせ】　取り合わせ

季語の成分だけをもとに一句を構成するのが一物仕立て。一方、季語と直接関係のない言葉を組み合わせて作ることを、取り合わせと言います。実際の句作の場合には取り合わせが圧倒的に多いのです。多分八割くらい。「え、そんなに？　歳時記には取り合わせの句は少ないけど」と驚かれるかもしれませんね。でも、そうなんです。歳時記に一物仕立てが多いのは、季語の正しい使い方をわからせるため。でも句作の現場では取り合わせが圧倒的多数なのです。まず名手の作品を覚えてしまいましょう。私のお勧めは田中裕明さんです。

悉く全集にあり衣被　田中裕明

「衣被《きぬかつぎ》」とは「小ぶりの里芋を皮のまま茹で塩味で食べるもの。衣を脱ぐようにつるりと皮がむける」と歳時記に。全集と衣被、全く関係のないものを取り合わせています。季語との距離はかなり遠い。句会で取り合わせの句が出てきたら、二つの要素がどう響きあっているのか考える癖を付けてください。では掲句の場合は？　実は私にもよくわかりません。と言ってしまうと身も蓋もないので、何とかひねり出してみます。

全集には、すべての作品が掲載されています。すべてが見えている本です。一方、衣被は指でつまむとつるっと皮がむけて、中身の芋が現れます。こちらも中身が丸見え。この見えている感じが響きあっているのではないでしょうか。

江戸時代の発句は季語との距離感が近く、誰にでも理解が可能でした。時代が下るにつれ、距離は離れ理解が難しくなっているように思います。音楽にたとえれば、江戸の句はモーツァルト。メロディーと和音が一致しているため疲れません。現代の取り合わせはモダンジャズ。メロディーと和音を意識的にずらしているため、時にけたたましく雑音のようにも聞こえます。しかし、そのずれこそが、現代の感性。取り合わせは調和のとれた和音から不協和音の時代へ。それが俳句界の大きな流れです。

【な】行

【ながいきご】　長い季語

私が知る限り最も長い季語は「童貞聖マリア無原罪の御孕りの祝日（どうていせいまりあむげんざいのおんやどりのいわいび）」何と二十六音。カトリックでマリアがイエスを身ごもったとされる祝日で、十二月八日にあたります。この長い季語を詠んだ句がこちら。

童貞聖マリア無原罪の御孕りの祝日日和とはなれり　　夏井いつき

【ながいはいく】　長い俳句

凡そ天下に去来程の小さき墓に参りけり　　高濱虚子

「およそてんかにきょらいほどのちいさきはかにまいりけり」。十三・七・五の二十五音。定型を旨とする伝統派の中では異例の長さと言えるでしょう。去来は芭蕉の高弟の一人。「墓参り」が秋の季語。去来の別荘、京都の落柿舎を訪ねた際の句と言われています。虚子は不思議な人で、有季定型を標榜しながら、自分は平気で長大な句を詠んだり、無季の句を作ったりしています。また花鳥諷詠を提唱しながら、日本的な情趣をはみ出す句も作っています。おそらく、熟練したゲームプレイヤーの顔と、ルールを破るアーティストの顔の二つを持っていたからでしょう。

【ながたこうい】 永田耕衣（一九〇〇～一九九七）

少年や六十年後の春の如し

この句は目の前の景を詠んだものではありません。六十年は干支が一巡する時間。還暦といわれるように、時間が振り出しに戻ります。赤いちゃんちゃんこを着て祝う習慣があるように、老人が赤ん坊に戻る時間です。この句の鑑賞は難しいのですが、私は生命の循環を讃える作品と読みました。作者は禅の精神を俳句に活かした独自の作風で知られる人。難解と言われることもありますが、東洋的な深い思索に満ちています。余談ですが神戸に住んでいた耕衣が、阪神淡路大震災の際に詠んだ句がこちら。

白梅や天没地没虚空没

この句は意外にも漫画家・故石ノ森章太郎と関わりがあります。仮面ライダーなどの大ヒットで人気漫画家の名をほしいままにした石ノ森。彼の作品には繰り返しアイデンティティーの喪失が描かれています。人間でも機械でもないキカイダー。自分に付与された恐ろしい力に悩む仮面ライダー。そしてサイボーグ009は、自分たちを作り出した科学の欺瞞と向き合い、戦うことを余儀なくされます。深い思索をへて石ノ森の漫画は晩年、難解さを深めていきます。「サイボーグ009」天使編のある章は、セリフがなく世界の聖地が精密に描かれているのみ。「石ノ森の黙示録」と称される作品です。この句は天使編執筆当時の創作ノートに記されていたもの。科学技術の限界を見据えた石ノ森が、なぜこの句をメモしたのかは明らかになっていません。

【なかむらくさたお】　中村草田男（一九〇一～一九八三）

草田男は、はじめ歌人・斎藤茂吉の実相観入説を信奉。実相観入とは客観写生を重んじながら、そこに自分の生命を深々と注ぎ込むことです。歌作りの方法論でありながら、自己の救済につながるという難解な概念ですが、ヘルダーリンやドストエフスキーをよく読み、ニーチェに傾倒した草田男には、ぴったりの思想だったのかも知れません。

中国福建省アモイで生まれた草田男は三歳のときに母と帰国。松山中学、松山高校をへて東大独文科に入学しました。大学生のころは神経衰弱に悩まされ、休学した後　国文科へ移ります。卒業は三十三歳のとき。長い長い学生生活でした。ちなみに俳号の草田男は、休学中に親戚から「お前は腐った男だ」と痛罵され、その「腐った男」をもじって「草田男」としたと言われています。

秋の航一大紺円盤の中

草田男が瀬戸内海を航海したときの句です。秋の瀬戸内海の群青を「一大紺円盤」という造語を使って詠んだ巧みさ。こん、えん、ばん、と「ん」の音が続くリズムの面白さに溢れた句ですが、同時に哲学青年の未来への希望のようなものを感じさせます。草田男の句は単なる写生やわびさびを超えた人生に対する真摯な問いかけに満ちているのです。

【なんどくきご】難読季語

硯には蝌蚪千匹を放つ墨　蜂谷一人

読めましたか？　「蝌蚪」は「かと」と読みます。おたまじゃくしのこと。硯にたっぷりと墨をすります。硯の海に墨汁が満々とたまります。真っ黒なおたまじゃくしを描いてみます。描いても描いても墨はまだまだ残っています。この分なら千匹くらい描けそうだ、そんな気分の一句です。

さて俳句の世界にはこうした難読季語が沢山あります。『覚えておきたい　極めつけの名句1000』（角川学芸出版）から、いくつかご紹介しましょう。あなたはいくつ読めるでしょうか。

金縷梅↓まんさく
鹿尾菜↓ひじき

いずれも春の季語です。特に「ひじき」のような海草の仲間は、俳人でも頭を抱えるような難読季語が多いのです。

海雲↓もずく
海髪↓うご（刺身のつまにします）

夏の季語の、

鱚→きす
鱧→はも

この辺はお寿司屋さんの湯呑みに書かれているのでご存じかも知れませんね。

沢瀉→おもだか。水辺の植物ですが歌舞伎ファンにはお馴染みですよね。「沢瀉屋」は市川猿之助一門の屋号。見事な宙乗りに「よ、沢瀉屋！」。さあ、どんどんいきますよ。

秋の難読季語は、

牛膝→いのこずち
新松子→しんちぢり（まだ青い松かさのこと）
白膠木紅葉→ぬるでもみじ

そして冬の季語は見るからに寒々しい感じ。

嚔→くさめ
皸→あかぎれ
虎落笛→もがりぶえ（柵や竹垣などに吹きつける強い風が発する笛のような音です）

俳句を始めるとこうした難しい季語が読めるようになり、やがて書けるようになります。得意になってわざと詠みこんだりもするようになります。すらすら書けるとかっこいいのが「薔薇」。「ばら」とも「そうび」とも読みます。二音三音を使い分け五七五にあてはめるのです。季語ではありませんが「顎」は「あご」「あぎと」「おとがい」。二音三音四音と使い分けが可能。「背」は「せ」「せな」「そびら」。ただし俳句以外で「そびら」と言っても多分通じないと思いますが。

【に・も】 助詞

助詞は地雷です。句会に登場する多くの句で助詞が安易に使われています。中でも場所を示す「に」と、類例を暗示する「も」は大変危険。先日の句会でこんな句がありました。

大寒もただゆるゆると神田川

いかがでしょう。「大寒も」の「も」が私には問題のように思われました。作者に「も」を使った理由を尋ねると、「大寒の日も他の日も神田川が遅く流れているよ」と言いたかったとのこと。「も、に私の言いたいことが凝縮しているんです」とおっしゃいます。でもちょっと待ってください。俳句ではそのものずばりを言い切ることが大切。類例を示すのは損なやり方です。この句はむしろ、

大寒やただゆるゆると神田川

と素直に詠むべきなのです。では場所を示す「に」はどうでしょう。学校で文章の基本を5W1H「いつ　どこで　だれが　なにを　どんなふうに　どうした」と習ったせいか、俳句でも○○に、と場所を特定したがる方が多いようです。しかし、この「に」、使うとニュース原稿のようになってしまいがち。つまり「報告」です。報告はビジネスの言葉。俳句は詩ですから報告調は似合いません。

安達太良に菊一本や光差す

同じ作者のこんな句も見かけました。やはり「に」が説明。せめて「安達太良の」としてほしいところです。もしも、あなたが「に・も」を俳句で使っていたら一度立ち止まって下さい。吟味してやはりこれしかないと思えばそれで結構。でも多くの場合、別のやり方があることに気づく筈です。ファインディング・ニモ。

【ねっとくかい】　ネット句会

コロナで外出自粛が続く中、句会も中止が続いています。そこで注目を集めているのがネット句会。感染の危険を冒しながら満員電車に乗ったり、狭い会場に集ったりする必要がありません。ネット句会といえば以前は、メールを利用して投句や選句を行っていて、幹事の負担は相当なものでした。最近のものはシステムが整備されていて、驚くほど便利。私もそのひとつ「夏雲」を体験してみました。

「夏雲」にまずアクセスして新規句会を申し込みます。数日して、アカウントとパスワードが送られてきました。これらを使って句会名と参加者の俳号を登録し、投句と選句の締め切りを決めます。投句数と選句数は自由に決めることが出来るので　とりあえず五句出し、特選一並選四としました。兼題を自由記述欄に書き込み、「これから始めますよ」と参加者にメールしました。準備はこれだけ。あとはシステムが勝手にやってくれます。締め切りまでは何度でも投句を差し替えたり書き直したりできます。これはなかなか優れていると感じました。私は欲張りで未練たっぷりな性格。投句のあらが見えてきて、直したくなってしまうので大変ありがたい。締め切りまでじっくりと悩むことが出来ます。

投句の締め切りがくると、システムが勝手に選句へ進めてくれます。幹事の私にも、誰がどの句を投稿したかわかりません。ここもよく考えられていて、選をするスリルを損ないません。

選句には選評を書き込むことが出来、締め切りが来ると自動的に点盛りと選評が公開されます。結果は作者別でも得点順でも表示でき、印刷用のフォーマットまで用意されています。

足りないものがあるとしたら、句会後の飲み会くらいですが、これは今のご時世ですから願っても無理。あ、そうそう。これだけのシステムを使って使用料はゼロ。全く無料で利用できるんです。コロナ時代を乗り切るネット句会、あなたも試してみてはいかがですか。

【の】 助詞

俳句で大変よく使われる助詞。次の作品をご覧ください。

銀河系のとある酒場のヒヤシンス　橋　閒石

「銀河系の」「酒場の」と「の」が続くことでリズムが生まれています。銀河系というとんでもなく広大な空間から、酒場へとズームインし、さらに酒場の片隅のヒヤシンスへともう一度ズームイン。実写では到底撮影できない二段ズームインを言葉のうえで難なくやってのけた作品です。「の」の効果を使いこなしていると言えるでしょう。では次の作品はどうでしょう。

新茶添へ見合い写真の届きけり

なんだかいい匂いがしそうで、写真の方の好感度もあがるようです。しかし岸本尚毅さんによると、「の」の位置が問題であるとのこと。そこでこう添削されました。

新茶添へ見合いの写真届きけり

「見合い写真」と「見合いの写真」の違い。つながった言葉を切り離すことで、それぞれの言葉がくっきりと際立ってきます。これは、かなり上級の添削。ズームインの効果もあれば、言葉を際立たせる効果もあって「の」の用法は簡単なようで難しい。「鮒に始まり鮒に終わる」といわれる、釣りにおけるヘラブナのような存在でしょうか。

【は】行

【は】 助詞

俳句で使われる助詞には交換可能なものがいくつかあります。代表的なものに「の」「に」「は」など。しかし微妙に意味が変わります。どれがベストなのか、探し当てるのも俳句作りの楽しみのひとつです。私は岸本尚毅さんに以下の例を教えてもらいました。

住 吉 に す み な す 空 は 花 火 か な　　阿波野青畝

「住吉」（地名）に長年住んできた私にとって、空とは花火のことだと格調高く詠いあげた一句。この句の助詞を取り換えてみます。

住 吉 に す み な す 空 の 花 火 か な

「空の花火」と迷いなく読め、疑問が残りません。最も一般的なかたち。今、空には花火があがっています。

住 吉 に す み な す 空 に 花 火 か な

私は長年住吉に住んできた。今、その空に花火があがっているという意味に変わりました。

「住みなす」と「花火」の間に時間の経過が読み取れます。住吉に、空に、と「に」が続くことから少々リズムが悪くなっています。

住 吉 に す み な す 空 は 花 火 か な

原句のかたち。空イコール花火となり、空いっぱいの花火、あるいは空というものは花火なんだ、と断定するかたちとなります。スケールがぐっと大きくなっているのがわかりますか。高柳重信がこの「は」を絶賛したという逸話が伝わっています。

住 吉 に 住 み な す 空 や 大 花 火

切字の「や」も検討してみましょう。「やかな」を避けるため下五を「大花火」としてみました。切れが生まれ俳句らしくなりますが、少々堅苦しいと感じる人がいるかも知れません。

岸本さんによれば「の」は送りバント、「に」はヒットエンドラン、「は」は走者一掃のホームラン、ただし失敗すると三振というイメージになるそうです。その違いをよく味わってみてください。

掲句には後日談があり、ある俳人に「住吉にすみなす空の花火かな」のほうがよいのでは、と指摘され、青畝が激怒したとのこと。プロの俳人同士でさえ意見が異なる微妙な助詞の用法。

いつもは無難に「の」を多用する私ですが、一度くらいは「は」で勝負を掛けてみたいと思っています。

【ハードボイルド】

アーネスト・ヘミングウェイは、ハードボイルド派と呼ばれます。ハードボイルドといえば探偵小説が有名ですが、文学史上は、暴力や反道徳的な内容であっても批判を加えず、客観的で簡潔な文体で描くこと。ヘミングウェイがその代表とされます。ハードボイルドとはもともと固ゆでの卵のこと。硬いのですが、卵ですから実はやわらかい。名作『武器よさらば』はこんな内容です。

第一次大戦中イタリア軍に志願したアメリカ人フレデリック・ヘンリー。しかしそこは理想とはかけ離れた世界でした。彼は戦場で看護婦キャサリン・バークレイと出会います。初めは遊びのつもりの恋でしたが、しだいに二人は深く愛し合うようになります。やがてキャサリンの妊娠が分かり、二人は中立国のスイスへと夜のレマン湖を渡り逃亡します。ところが難産の末、子どもと共にキャサリンは死んでしまうのです。『武器よさらば』の最後はこう結ばれています。

彫像にさよならをいうようなものだった。しばらくして私は部屋を出て病院を後にし、そして雨の中をホテルへ歩いて帰った。

これだけ。大著の末尾がたったこれだけ。彫像はもう動かない最愛の人の端正な顔立ちを示します。「しばらくして」は心理的な時間の描写。様々な思いが交錯し、気持ちの整理がつかない時間が過ぎてふと我にかえった。その長い時間が「しばらくして」と簡潔に示されます。「そして」でつなぐのはヘミングウェイ特有のスタイル。原文では「and」。そっけないほど無造作に、重要な出来事が語られます。雨の中をホテルへ歩いて帰った。悲しかったとも辛かったとも言わずに主人公の思いを伝えます。雨は、彼の顔を打ち流れ落ちているでしょう。涙を流していたとしても気づかれません。そう、もしかしたら彼は人知れず泣いていたのかも知れません。この簡潔さ。形容詞に頼らない心理描写の巧みさ。どこか俳句との共通点を感じませんか。

ところで、ヘミングウェイはどのようにして、この文体にたどり着いたのでしょうか。ハイスクールを卒業すると、彼は伯父の知人の紹介で「キャンザス・シティ・スター」という新聞社に勤めました。僅か七ヶ月間でしたが、ここで文章について多くのことを学びました。入社早々渡された「文体心得」にはこう記されていたそうです。「短い文章を用いよ。最初のパラグラフは短く。力強い英語を用いよ。肯定形を用い、否定形を用いるな」「形容詞を用いるな。特に、すばらしい、華麗な、雄大な、といった極端な形容詞を避けよ」。

こうした文体上の心得に加えて、記者として冷静に客観的に事物を観察する力を養いました。

（『グーテンベルグ21』高村勝治訳より）

この心得、英語のくだりを除けば俳句の入門書にそのまま記してもよい内容となっています。そう思いませんか。

【はいく】俳句

短いから簡単だろうと考えて、気軽に始めてみたら難しくてわからなくなる文芸のこと。「二十週でわかる」と謳う教則本もありますが、ほとんどの人が二十年を費やしてますます道に迷って行きます。でもその人たちが不幸かといえばそうとも言えません。旅には道に迷う楽しみもあるからです。

私は俳句を「季語をめぐる冒険」と捉えています。季語には表面上の意味と奥に隠された意味があります。後者の奥に隠された意味を追求するには、多くの句に触れ、季語が生まれた背景や歴史的な文脈を探る必要が出てきます。例えば「花野（秋）」という季語。歳時記には「秋の草花が一面に咲き乱れる広々とした野原。華やかさとともに、次の季節には枯野となる寂しさもあわせ持つ」とあります。「花」といえば春の季語で桜をさすのに、なぜ秋の季語なのでしょうか。実は鎌倉時代に編纂された『玉葉集』に「村雨の晴るる日影に秋草の花野の露や染めてほすらむ　大江貞重」という和歌があります。この歌が有名になったことから秋草の野を花野と呼ぶようになったのです。

先ごろ亡くなったアメリカの作家、アーシュラ・K・ルグインのファンタジー『ゲド戦記』をご存じでしょうか。何度読み返しても飽きのこない傑作です。主人公は「ハイタカ」という通り名を持っており、村人は彼をそう呼びます。ところが、彼には秘密の名前があり、それがゲドだったのです。原作を読んだ方にはお馴染みのエピソードですが、私は季語の捉え方に通じる考え方だと思っています。

『ゲド戦記』では、相手の本当の名前を知ることが魔法に結びついています。相手が龍ならば、背中にのって宙を舞うことさえできます。しかし、龍の名前を間違えるとたちまち火に焼かれます。この物語は「言葉が世界をつくる」というアメリカ先住民の思想を元にしています。言葉には素晴らしいパワーがありますが、正しく使わないと身を滅ぼします。季語の表面上の意味をハイタカ、奥に隠された意味をゲドと読み替えてみてください。俳句の秘密の一端が明らかになる筈です。大空に、海に、山野に、人の中に、季語の隠された意味を探ること、それが「季語をめぐる冒険」です。

【はいくのつくりかた】俳句の作り方

もしも、俳句の宿題が出たらどうしますか。慌てずにすむように、簡単に一句作る方法を伝授しておきましょう。まず、四音の時候の季語をみつけます。歳時記で探すのが一番ですが、持ってなくても大丈夫。グーグルで「秋　時候の季語」と検索するとずらりと結果が示されます。

時候というのは手紙の書きだしに使う言葉。「秋めいてまいりました」とか「爽やかな時候となりました」とか、そんなフレーズを目にしたことがありませんか。この「秋めく」「爽やか」が時候の季語。かたちを持たない季語なので、ゆったりと一句を包み込むように働きます。四音であれば、これに切字の「や」をつけると上五が完成します。「秋めくや」「爽やかや」こんな感じです。

次に自分の写真を撮ります。眼鏡をかけているだとか、まつ毛が反り返っているとか、そんなことを十二音にまとめます。写真を撮るのは、抽象的な概念でなく、写真に写る具体的なモノを詠み込むためです。自分でなくても、自分の部屋でもいいのですが、私の場合は散らかりすぎていて、短い言葉にできそうもありません。自分の顔ならほどよい「散らかり具合」なので好都合。しかも自分の顔なので、ディテールを熟知している筈。あとは、季語と写真の内容を組み合わせるだけです。

秋めくや眼鏡のつるのやや撓む
爽やかや細きまつ毛の反り返る

こんな具合です。すごくいい句という訳ではないけれど、なんとか形になっています。大切なことは、中七下五がひと続きのフレーズになっていること。中七下五が季語と無関係であることです。関係のある言葉を置くと「つきすぎ」となってしまうのでどうぞご注意を。

付け加えると「秋暑し」のような五音の季語の場合は「や」をつけません。

秋暑し上を向きたる鼻の孔

「爽やか」のような快適な季語の場合は、自分の顔の好きな部分。「秋暑し」のような不快な季語の場合は、嫌いな部分を詠むとうまくゆきます。季語の「気分」と内容がぴったり合うからです。

【はな】 花

『古今和歌集』の「久方の光のどけき春の日にしづ心なく花の散るらむ」に登場する花とは桜のこと。「こんなのどかな春の日に、落ち着かず桜が散り続けているよ」という歌意。和歌の世界では、花といえば桜をさしました。和歌から発展した俳句でも同じように、ただ花と言えば桜をさすものとされています。

大変華やかな美しさをまとった季語ですが、こうした季語を詠むときに大事なことは、華やかさや美しさを詠まないということです。季語そのものが華やかなのですから、それを説明する必要はありません。例えば芭蕉はこんな風に詠んでいます。

花の雲鐘は上野か浅草か　松尾芭蕉

「花の雲」とは桜が爛漫と咲いて雲がたなびくように見るさま。決して空の雲ではありませんのでご注意ください。ここでは花の美しさには触れず、遠くから聞こえてくる鐘の音を取り合わせています。上野、浅草という歴史を感じさせる地名も、空間の広さとともに昔ながらの花の美しさを引きたてています。花の美しさは視覚で感じるもの。ならば視覚以外の要素を加えることで一句が立体的になる筈。この句の場合は「鐘の音」という聴覚を取り入れました。

皆さんも、聴覚、触覚、味覚、嗅覚など視覚以外の要素を取り入れて一句詠んでみてはいかがでしょうか。

【はるおしむ】　春惜しむ

過ぎゆく春を惜しむこと。情感の大変豊かな季語ですが、案外使い方が難しいのです。「俳句さく咲く！」で詠まれた句をみてみましょう。

ぼんやりと水月眺め春惜しむ　　上西星来

水月は水に映った月。映像的な句になっています。ところが「眺め」「惜しむ」と動詞が二つ。動詞二つは許容範囲ではありますが、やはり句がもたついています。櫂未知子さんはこの句をこう添削しました。

惜春や水月ぼんやりと眺め

「せきしゅんや　すいげつぼんやり　りとながめ」

句またがりで美しくまとまりました。「春惜しむ」のように動詞が入った季語は、「惜春」のような名詞形に変えてしまうのも一つのやり方。添削例では「や」切りでかたちがよくなり、動詞がひとつになってすっきりとしています。

【ばんぐせつ】 万愚節

万愚節とはエイプリル・フールのこと。この略し方はとってもお洒落。カタカナを漢字にして音数を縮めただけでなく気分をぴたりと言い留めています。バイスクルを「自転車」と訳した昔のひとのセンスを感じます。

植 木 屋 は 頭 上 に 休 む 万 愚 節　　蜂谷一人

さて、この句を見て思い出す人はいませんか？　絶対ご存じの筈。ほら有名な植木屋さんですよ。ほら、あの……。天才バカボンのパパ。よく木の上で昼寝をしていたじゃありませんか。パパにとっては毎日が万愚節のようなもの。罪のない嘘をついて皆を慌てさせるのが大好きなんですから。

ところがあるときこの句を英訳することになって問題が生じました。英人の翻訳家に「なんで植木屋が頭上で寝ているのか、さっぱりわからない」と言われ、バカボンをわかってもらうのに一苦労。俳句の理解には日本文化の幅広い知識が必要と身に染みました。

俳句は短い詩。いちいち説明するには字数が足りません。日本に住んでさえいれば、言葉にしなくてもわかる知識があります。バカボンに限らず、秋といえばもの悲しく、コスモスは小学校を思い出させ、稲といえばこうべを垂れるもの。こうした暗黙知のおかげで、私たちは俳句を楽しむことができるのです。

【ひこう】　披講

あなたが結社に入ると、主宰に呼ばれて「披講お願いね」と言われるかも知れません。披講とは句会で選句の結果を読み上げること。責任重大です。読みかたを間違えてはいけませんし、俳句独特の切れも意識しなくてはなりません。とはいえ、何事も勉強。やってみることをお勧めします。辞めずに続けたら、難しい漢字も読めるようになり、俳句の腕も上達している筈です。

【ひていけい】否定形

俳句の必殺技の一つ。少し俳句に慣れてきたら是非お勧めしたいかたちです。

見渡せば花も紅葉もなかりけり浦の苫屋の秋の夕暮　　藤原定家

『新古今和歌集』に登場する有名な歌です。この歌では、花、紅葉という華やかなものを出しておいて、いきなり「なかりけり」と否定します。カラフルな残像が消えてゆくような効果をあげているのがわかりますか。否定形を使うと作品に奥行きが生まれます。「俳句さく咲く！」で詠まれた句を例に使い方を説明しましょう。

そよ風を入れて揺るるは室の花　　櫻井紗季

「室の花」とは、温室の促成栽培の花のこと。櫂未知子さんはこの句を添削して否定形にしました。

そよ風の入りて揺るがず室の花

風に室の花が揺れるのは当たりまえ。否定形を用いることで、温室育ちの花の意外なたくましさが感じられるようになりました。否定形は俳句作りの必殺技。毎回使うとうるさく感じますが、ここぞというときに繰り出せば必ず効果をあげてくれます。

バレンタインデー止り木に誰も居ず　　星野高士

さて、もう一句。星野高士さんの否定形の句を挙げてみました。この止り木は鳥かごではなく、バーの椅子でしょう。折角のバレンタインデーにバーに寄ったら、誰もいなかったという句です。期待が裏切られ、実生活ではちょっとさみしい出来事ですが、詩の世界では余韻が生まれます。仮に、

バレンタインデー止り木に我一人

だったらどうでしょう。描かれている景は同じですが、効果は随分違うと、星野さんは自ら記しています。「我一人」の方は報告めいているが、「誰も居ず」の方は、みんなどこに行ってしまったのか想像が膨らむとのこと。否定形をうまく使えば一句の世界が広く、深くなるのです。

【ひやく】飛躍

先日の句会にこんな句がありました。

やわらかきものに赤子の手と仔猫　茂克

よくわかりますよね。赤子の手と仔猫、どちらも確かに柔らかい。きっちり定型に収まっていて、よく出来ています。しかし、ここで満足していてはさらなる上達は望めません。「仔猫」は季語ですから外せないとして、「赤子の手」のほうを少し変えてみませんか。赤子と仔猫はどちらも可愛い生き物ですからジャンルが似ています。一方が生き物なので、他方はそうではないものにしてみるというやり方もありそうです。意外性が増し、少しだけ世界が広がる筈です。

やはらかきものにメロンパンと仔猫

並列にするときは、あえてずらして飛躍させる。そこから詩が生まれます。

【ひゆ】　比喩

直喩と暗喩のふたつの形式があります。直喩は「○○のごとく」「○○のやうな」。暗喩は「ごとく」や「やうな」を使わない比喩のことです。写生を直球とすれば比喩は変化球。切れ味がよくないと簡単に打たれてしまいます。しかし勝負どころでは、打者の内角を鋭くえぐるシュートや、目の前で消えるフォークボールも必要です。

ところで、比喩の中にはやってはいけないものが一つあります。それは、季語を比喩に用いること。「林檎のやうな頬」の類です。季語は目の前にあることが前提。比喩に用いると絵空事になってしまい季語として認められなくなります。絵空事でも季語と主張するか、無季の句ですと言い張るか、いずれにせよ苦しい展開が待っています。

わかっていただいたところで次の句はいかがでしょう。

菫ほどな小さき人に生れたし　　夏目漱石

漱石の代表句です。すみれのような小さなひとに生まれたい、という意味ですから、季語を比喩に使っています。さあ、困りました。困ることはないか。読者を納得させることが出来れば、季語を比喩に使っても可。何にでも例外はあるものです。

【ひよう】　費用

俳句は安上がりな文芸です。紙と鉛筆さえあればＯＫ。実質経費百円。これで生涯楽しめるのですからコストパフォーマンスは最高です。しかし、結社に入ったり句集を出したりすると話は別。結社の会費は毎月千円から二千円程度。句会に出ると一回につき五百円から三千円程かかります。句集は装幀にもよりますが、百万円を超えるものも。部数は通常数百から数千部。この数が増減しても経費にはあまり影響しません。本の制作費は、多くが編集者や装幀者の人件費で、紙の値段は僅かなものだからです。私家版ですと、本屋さんで売ることは少なく俳人や知人に贈呈することになります。ただし、最近はパソコンで作る句集や、フォーマットの決まった廉価版もあり、その場合は数万円から。こちらなら心置きなく差し上げられます。

【ひるとよる】　昼と夜

先日の「俳句さく咲く！」で櫻井紗季さんがこんな句を詠みました。

寝 覚 め て は 耳 鳴 り 響 く 虫 の 声

櫂未知子さんが、時刻はいつか尋ねたところ「朝」という返事。紗季さんは朝、うるさく鳴く蟬を詠んだそうです。ならばと櫂さん「虫という季語は使えません」。どういうことでしょうか。

日常会話では「虫」は蟬を含めた昆虫全般を指しますが、俳句ではこおろぎや鈴虫のように秋の夜に鳴く虫のこと。夏の朝や昼に鳴く蟬には使えません。虫は夜の季語。しかも鳴き声を詠むもの。蟬は昼の季語。夜鳴く蟬には「夜の蟬」、昼鳴く虫には「昼の虫」という別の言葉が当てられます。このように季語には時間帯と不可分なものがあります。

ところで紗季さんだけではありませんでした。塚地武雅さんもやらかしています。

虫の音が目覚まし代わり実家かな

この虫の使い方も誤り。こちらも蟬を詠んだ句でした。

季語を斡旋するときには、まず昼か夜かを考えます。ついでに屋内か屋外かを考慮できれば完璧。「流星（秋）」を詠むなら夜の屋外。「夜なべ（秋）」なら夜の屋内という風に。時間と場所の別を考える癖をつけておくと、必ず作句に役立ちます。

【ひるね】　昼寝

「昼寝」を歳時記でひくと「生活」の項に出ています。歳時記の項目には七つあり「時候」「天文」「地理」「生活」「行事」「動物」「植物」と並んでいます。項目に注目しない人が多いのですが、生活の項は要注意です。何故なら人間に関することにしか使えないからです。季語の「昼寝」は人間の行為のみ。猫の昼寝には使えませんのでご注意を。「昼寝」のほかにも「日向ぼこ（冬）」など、うっかり動物に使ってしまいそう。

さみしさの昼寝の腕の置きどころ　上村占魚
まなぶたは今万華鏡日向ぼこ　加藤三七子

【ひんし】　品詞

俳句を構成する品詞の特性について考えてみましょう。作家開高健は文章は形容詞から腐ると言いました。ヘミングウェイの文章修行の心得と実によく似ています。俳句と散文は違いますが、この言葉には真実が含まれています。例えば女性を描写する際、形容詞だけを使って

「美しい」とか「可愛い」とかいうのは一番伝わらない言い方。まるで中学生のラブレターです。髪型、目の色、唇、頬、肌などなど具体的に書けば書くほどはっきりと伝わります。川端康成は『雪国』で芸者の駒子をこう描写しています。

細く高い鼻が少し寂しいけれども、その下に小さくつぼんだ唇はまことに美しい蛭の輪のように伸び縮みがなめらかで、黙っている時も動いているかのような感じだから、もし皺があったり色が悪かったりすると、不潔に見えるはずだが、そうではなく濡れ光っていた。目尻が上がりも下がりもせず、わざと真直ぐに描いたような眼はどこかおかしいようながら、短い毛の生えつまった下がり気味の眉が、それをほどよくつつんでいた。少し中高の円顔はまあ平凡な輪郭だが、白い陶器に薄紅を刷いたような皮膚で、首のつけ根もまだ肉づいていないから、美人というよりもなによりも、清潔だった。

（『雪国』角川文庫　平成二十五年改版初版発行）

凄いと思いませんか。二七〇字も費やして駒子の顔立ちを描写しています。偏執的といえるほど濃密で微細な描写が続きます。確かに形容詞も使っていますが、そのあとに必ず具体的な描写が入ります。中でも「唇は美しい蛭の輪のように」とは、ちょっと言えませんよね。ねっとりと肉感的な紅い唇。少々危険な感じさえあります。さすがノーベル賞作家。

形容詞の次に要注意なのは動詞。数が増えれば増えるほど、扱いが難しくなります。ただし、オリジナリティーのある動詞をひとつ用いると抜群の効果をあげることもあります。

美しき緑走れり夏料理　星野立子

夏料理の鮮やかな緑を走るようだ、と表現しているのです。料理に用いる動詞に「走る」は、出てきませんよね。一生に一度くらいは、このくらいインパクトのある動詞を使ってみたいものです。

助詞も厄介です。しかも形容詞や動詞と違って省くことができません。プロとアマの違い、巧拙がはっきり見えるのが助詞の選択です。

気兼ねなく使えるのが名詞。名句のいくつかが名詞だけで構成されていることからもわかるように、俳句の核となる言葉です。詩の世界には寄物陳思という言葉があります。物に寄せて思いを述べること。つまり名詞に作者の思いを託すのです。これが俳句の最短最強コース。

奈良七重七堂伽藍八重桜　松尾芭蕉

奈良、七重、七堂伽藍、八重桜。すべて名詞の一句。奈良のなと七重のなが韻を踏み、七堂、八重と数字の遊びも楽しませてくれます。すべての言葉ががっしりと組み上げられていて一点の隙もありません。まるで巨大な建造物を見るようです。

【ふうてん】　風天

俳優・渥美清さんの俳号です。俳句を趣味にしていたことはあまり知られていませんが、撮影を抜け出して句会に出席したこともあるとか。

　さくら幸せにナッテオクレヨ寅次郎

最も初期の作品のひとつ。句会に参加したメンバーが楽しみにしていたのが、渥美さんの声。朗々と句を読み上げる声を、惚れ惚れと聞いたそうです。渥美さんは、二二〇を超える俳句を世に残しました。もっとも風天らしい句がこちら。

　赤とんぼじっとしたまま明日どうする

Eテレの番組「歳時記食堂」でこの句を取り上げたとき、映画「男はつらいよ」でマドンナを演じたかたせ梨乃さんが、こうおっしゃっていました。「自分がすごく迷っているようないな。

どうしようもできないな、だれも助けてくれないような。なんかひとりなんだなっていう感じがすごいする」と。観客を楽しませてくれた渥美さんは、決して私生活を明かさない人でした。秘められた渥美さんの素顔。それがこの一句なのです。

【ふぉーかすおくり】フォーカス送り

くもの糸一すぢよぎる百合の前　　高野素十

一四七頁でこの句を取り上げたところ、ある映像関係の方から「望遠レンズを使った、蜘蛛の糸から百合へのフォーカス送りですね」という感想をいただきました。素敵な視点だと思ったのでもう少し詳しく書いてみます。

フォーカス送りとは「ピン送り」とも呼ばれる撮影上のテクニックです。望遠系のレンズを使うと焦点（ピント）の合う奥行きがごく浅くなります。その特性を使って、意外性のある効果をあげることが出来るのです。

掲句の場合を考えてみましょう。ぼんやりした白い背景に、一本の光る糸が映し出されます。一瞬なにかわかりませんが、風に揺れる様から蜘蛛の糸だと気づきます。このとき焦点は蜘蛛の糸に合っています。次に、蜘蛛の糸がぼやけて溶けるように姿を消し、背景が見えてきます。ぼんやりした白いものが、くっきりと姿を現し百合の花であったことがわかります。これがフォーカス送りです。手前の蜘蛛の糸から後ろの百合へ。わずか数センチ、もしかしたら一センチに満たない焦点距離の違いが劇的な映像効果を生みだします。

ワイド系のレンズは手前から奥までべたっと焦点が合ってしまうので、この効果に適しません。初めから蜘蛛の糸と百合の両方が見えてしまいます。ここは望遠レンズでなくてはなりません。

俳句は言葉の写真と呼ばれますが、素十のようなすぐれた俳人は、動画的なカメラワークを見せることがあります。

この小文を書いていてもう一つ気づきました。俳句の鑑賞に映像の用語を使えるということです。カメラやレンズに詳しいあなたなら、新しい切り口で名句の再評価ができるかもしれませんね。

【ふくろまわし】 袋回し

運動のクールダウンのようなもの。句会が終わった余韻の中で誰からともなく袋回しをしよう、と声があがります。手順を説明しましょう。

まず、参加者全員に茶封筒などの袋を一枚ずつ配ります。併せて、投句用の短冊を、配ります。参加者は、茶封筒の表に、俳句に詠み込む題を一つ書きます。題は季語でも他の言葉でもかまいません。全員が封筒に題を書いたら袋を回します。隣から受け取った袋に書いてある題を使って俳句を作り短冊に書いて袋に入れます。入れ終わったら、再び袋を回します。この作業を初めに自分の所にあった封筒が戻ってくるまで繰り返します。投句が終わったら、袋の中の短冊を取り出し、清記用紙に俳句を書き写します。これ以降の作業は、通常の句会と同じです。

封筒を用いないやり方もあります。この場合はまず題を発表し、全員が短冊に自作の句を書きます。その短冊を隣へと回し、その句を気に入った人は短冊の裏に自分の名を書き込みます。何句選んでも構わないところが通常の句会とは異なっています。幹事は、短冊の句と裏の名を読み上げ、場合によっては選評もします。この袋なしのほうは時間を大幅に短縮できます。

【ふてね】　ふて寝

あなたが文語で俳句を作っていて「買ふて」のように「ふて」と表記していたら、文法的に間違っていると思って下さい。文語の動詞に「ふて」という表記はありません。正しくは「買うて」。「買ひて」が言いやすいように変化して「買うて」となっているのです。他にも、

言ひて↓言うて
沿ひて↓沿うて
酔ひて↓酔うて

など沢山の「うて」があります。こうした形を「ウ音便」と呼びます。「ふて」は厳禁なので、櫂未知子さんは生徒に「ふて寝は駄目よ」と教えていらっしゃいます。

【ぶんご】文語

文語は魔法の杖。うまく用いるとかぼちゃが、舞踏会へゆく馬車に変わります。文字数を減らして完結に表現でき、しらべが荘重になり、中身がなくてもそれなりに見えるようになります。いいことばかりですが、難点もあります。使いこなすのが難しいのです。だって魔法の杖なのですから。呪文を覚えるように、最低限の文法を暗記しなければなりません。NHKに寄

せられる大量の投稿。かなりの方が間違った文語を使っています。年齢は関係ありません。お年寄りだから、文語に詳しいかといえばそんなことはありません。老若男女平等に失敗なさっています。どんなに内容が素晴らしくても文法が間違った句は取れない。これが多くの選者の意見です。何故自分の句は入選しないのか？　推敲する前に、文語の表記や文法をチェックしてみてはいかがでしょうか？

【ほい】　本意

一七〇二年（元禄十五年）一冊の書が刊行されました。松尾芭蕉の『奥の細道』。紀行文とともに俳句が記されており、その文学的価値は計り知れません。奥州の旅の一部を現代の言葉に直すとこんな風になります。

「藤原三代にわたる栄華も今となっては夢のようであり、平泉の表門の跡は一里程手前にある。秀衡の館跡は、今では田や野原に変わり果て、秀衡が造らせた金鶏山だけがその形をとどめている」云々と、藤原三代の栄華を偲んでいます。

「よりすぐった忠義心のある家来たちが高館にこもり功名を競ったが、そうして得られた功名も一時の夢と消え、今では草が生い茂るばかりだ。杜甫の、国破れて山河あり、城春にして草青みたり、の詩を思い浮かべ、笠を置いて腰をおろしいつまでも栄枯盛衰の移ろいに涙したことであった」。

芭蕉には平泉の地によほど深い思いがあったのでしょう。唐の大詩人・杜甫まで引用して感慨にふけっています。この文章に続くのが、あの有名な一句です。

夏草や兵どもが夢の跡

俳句初心者のあなただって、一度くらい聞いたことがあるでしょう。この句の下敷きに「国破れて山河あり、城春にして草青みたり」があることは芭蕉自身が記している通り。杜甫の詩の春をあえて夏に変え、「夏草や」と詠んだのです。

「夏草」は歳時記に「繁茂する夏の草。野や山に茂った夏草は、エネルギーに満ちている」と記されています。しかし芭蕉の一句があるために、「過ぎ去った栄華」「人の世の儚さ」といった意味が付与されるようになりました。この付与された意味こそ「季語の本意《ほい》」と呼ばれるもの。歴史的な背景や使われ方を知らないと、深く理解することができません。しかも大抵の歳時記には記されておらず、句会で先生がそっと囁いてくれたり、あなたが自分で調べたりする以外に学ぶすべがありません。

あるとき英国人とこの句について語り合ったことがありました。お互いに全く話が通じていないことに気づいたのです。「夏草」は英語ではSummer Grass。英国の夏は短く、盛夏でも日本の五月のように心地よく花が咲き乱れる季節です。従ってSummer Grassは喜びに満ちた美しい季節の象徴。英国人にとって「過ぎ去った栄華」「人の世の儚さ」という本意とは無縁の言葉だったのです。

俳句が国際化してＨＡＩＫＵとなってゆくのは素晴らしいこと。しかしお国柄や文化の違いを乗り越えて　俳句でわかりあうのは容易なことではありません。世界には冬がない国だってあるのですから。

【ぼうえんれんず】　望遠レンズ

俳句を動画と捉えた場合、望遠レンズで撮影したように見える句があります。

人の上に花あり花の上に人　　阪西敦子

望遠レンズは、遠くのものを大きくはっきり見せる特性を持っていますが、同時に映像に奥行きがなくなってしまいます。手前のものと奥のものがくっついているように見えるのです。こちらはその特性をうまく使った句。上野の山を想像してみてください。斜面に沿って桜が植わっています。その下を人並みが移動しています。本来離れている筈の桜と見物客の奥行きが、縮まるために人の上に桜が乗っかっているように見えます。さらにその桜の上に人波。カメラは下から上へゆっくりとパンアップして行きます。望遠レンズのパンは難しいもの。わずかなブレが、望遠では拡大されてしまうからです。掲句を実際に撮影するには熟練したカメラマンとスタビライザーが必要ですが、言葉の上でなら誰でもクロサワのような映像を撮ることが出来ます。

【ほしのたつこ】　星野立子（一九〇三〜一九八四）

父がつけしわが名立子や月を仰ぐ

立子の代表句。月を仰ぐ凛々しい女性の姿が目に浮かびます。一体、どんな場面で詠まれた句なのでしょうか。立子自身がこう記しています。「一九三五年九月二〇日　夜。貞さんが死んだ。実は今日、私の大切な貞さんが死んだという話を父に聞かされた。私が三歳の時から家に手伝いに来ていて、十年もの間、いつも私達を世話してくれていた貞さん。貞さんは亡くなっていたのだ。それも十年も昔に。そして淋しい死に方だったらしいことがなお、私は悲しかった。月を見ながら貞さんのことを想い、自分の淋しさを考えつづけた。（中略）悲しみに沈むまま何句か詠んだ後、ふとこんな句が浮かんできた。父がつけしわが名立子や――この句が浮かんできたとき、くよくよするのもいい加減にしたいものだと思った。『父がつけしわが名立子や――』そして、一つ威張ってみようと思って『月を仰ぐ』とつけてみた。父がつけしわが名立子や月を仰ぐ」。

ここに記されているのは、普段あかされることのない創作の秘密です。お世話になったお手伝いさんの死を知ったことがきっかけとなって生まれた一句。しかし完成した俳句からは、死の影はどこにも感じられません。父との絆を誇らしく思いながら月下にすっくと立つ女性の姿があるばかりです。一旦作られた句は、作者の意図とは無関係に歩き出す。そのことを端的に伝えてくれるエピソードではないでしょうか。

【ほたる】 蛍

夏の季語。初夏の闇夜に光を放ちながら飛ぶ蛍は美しいばかりでなく神秘的でさえあります。

ゆるやかに着てひとと逢ふ蛍の夜　　桂　信子

蛍火や手首細しと摑まれし　　正木ゆう子

恋の句として詠まれることが多い蛍。それには理由があります。

物おもへば沢の蛍も我が身よりあくがれいづる魂かとぞみる

平安時代の歌人、和泉式部の歌です。「あくがる」とは魂が肉体からさまよい出るさま。「恋をすれば魂が蛍となって身体から飛び立っていくようだ」というのです。何と激しい恋の歌なのでしょうか。この歌が人気を博したために、後世蛍が恋の象徴として詠まれるようになったのです。現代の俳人と千年も昔の歌人。二人は蛍という季語を通じて結ばれていました。俳句の楽しさは、時空を超えたつながりに気づくことでもあります。

【ほちゅうあみ】　捕虫網

捕虫網立てて水深測りけり　　今井　聖（『九月の明るい坂』より）

「捕虫網は何をする道具ですか」と問われたらあなたは？「もちろん、虫を捕らえる道具です」と答えるでしょう。この句集には様々な捕虫網が記されています。なんと十二句も！　しかし、虫を捕るために使われたものは一句もありません。測る、昇る、被る、持たせる、膨らむ、振る、などなど。本来の使い方ではないものばかり詠まれています。その全十二句を抜き出してみました。

捕虫網東京タワーを階段で
何も捕れずつひに捕虫網被る
尿りをり母に捕虫網持たせ
深夜ふと膨らむ捕虫網の白
捕虫網振ると近づく軍用機
左手にギプス右手に捕虫網
捕虫網の柄で道順を描いてをり
序破急のあり一本の捕虫網
捕虫網の同心円に兄妹
捕虫網旗日の旗の前通る
捕虫網立てて墓参の最後尾

虫を捕るためには使われない代わり、少年のしぐさを示すものが次々に現れます。軍用機に振ってみたり、柄で地図を描いたり。東京タワーを階段で登るのも、大人ならまずしない行動。つまり作者にとって捕虫網とは単なる道具ではなく、作者自身の少年性のメタファーに他ならないのです。季語の使い方としてはかなり異色。本意を詠むのではなく、象徴としての季語。今井聖、捕虫網を持った永遠の少年。

【ほっく】 発句

俳聖と呼ばれる松尾芭蕉。俳句の師匠だと思っていませんか。残念。芭蕉は俳諧の師匠。では俳諧とは何でしょうか。「俳諧の連歌」の略で、五七五に七七をつけ、それに五七五をつけてゆく遊び。「連句」とも呼ばれます。連歌と形式は似ていますが、より身近で滑稽な題材を詠むところに特徴があります。もともと連歌の会のあと、お酒が入って少々羽目をはずすような宴で詠まれたと考えられています。わかりやすく言えば連歌がA面、連句がB面といったところでしょうか。では、今日　芭蕉の句として残っている作品は何なのでしょうか。あれは「発句」と呼ばれ、もともと俳諧の一番最初に詠まれる句だったもの。形式的には今日の俳句と同じく、切れと季語を備えていました。この発句が独立して詠まれるようになったものが俳句なのです。

【ほんかどり】 本歌取り

元の作品を改変して別の作品にすることを本歌取りといい、詩歌の世界で古来行われてきました。

春は曙そろそろ帰つてくれないか　櫂未知子

この句は、清少納言の『枕草子』「春はあけぼの。やうやう白くなりゆく山際、少しあかりて　紫だちたる雲の細くたなびきたる」を本歌取りしたもの。「春は曙」という出だしで雅びな平安貴族を連想させ、打って変わって「そろそろ帰つてくれないか」という現代の男女のあけすけな恋の駆け引きに転じるという見事な展開です。

さて、この本歌取りをめぐって論争を引き起こした作家がいます。寺山修司（一九三五〜一九八三）。十代で歌壇に登場し、俳句、詩、演劇、映画など様々な分野で創作活動を行った寺山。多くの作家が、俳句だけ、短歌だけ、あるいは詩だけ、と専門化していた時代に、寺山はさまざまなジャンルを自在に横断しました。それだけでなく他人の句を短歌に改作したとして非難さえされたのです。寺山の作品が盗作なのか、本歌取りなのかは、現在でも議論を呼ぶところ。次の作品をご覧ください。

人を訪はずば自己なき男月見草　中村草田男
向日葵の下に饒舌高きかな人を訪わずば自己なき男　寺山修司

燭の灯を煙草火としつチエホフ忌　中村草田男
莨火《たばこび》を床にふみ消して立ちあがるチエホフ祭の若き俳優　寺山修司

わが天使なりやおののく寒雀　西東三鬼
わが天使なるやも知れぬ小雀を撃ちて硝煙嗅ぎつつ帰る　寺山修司

鳥わたるこきこきこきと罐切れば　秋元不死男
わが下宿北へゆく雁今日見ゆるコキコキコキと罐詰切れば　寺山修司

松岡正剛さんは『千夜千冊』にこう記しています。「たしかに本歌があります。あとから知ったことですが、これらの〝盗作〟については『時事新報』の俳壇時評に指摘があらわれてから、ずいぶん大騒動になっていたらしい。（中略）しかし、ぼくは盗作おおいに結構、引用おおいに結構という立場です。だいたい何をもって盗作というかによるのですが、古今、新古今はそれ（本歌取り）をこそ真骨頂としていたわけですし、そうでなくとも人間がつかう言葉の大半は盗作相互作用だというべきで、むしろどれほどみごとな引用適用応用がおこったかということこそが、あえて議論や評価の対象になるべきではないかとおもうくらいです」。

【ま】行

【マクロレンズ】

小さなものを大写しにするときはマクロレンズを用います。普通のレンズの焦点距離は数十センチ。それより近いとピンボケになってしまいます。これでは小さな花を大写しにすることはできません。そこで活躍するのがマクロレンズです。レンズが被写体にくっつきそうになるまで寄れるので小さな世界の描写に最適。十円玉を画面いっぱいに写すことも可能です。

そんなマクロレンズを用いた俳句をご紹介しましょう。

さんしゆゆの花のこまかさ相ふれず　　長谷川素逝

春になると黄色い花をつける山茱萸。四～五ミリの花が集まって咲くので、少し離れると黄色一色に見えてしまいます。でもマクロレンズなら花の一つ一つ、蕊の一本一本まではっきりと捉えることができます。掲句の「相ふれず」という表現は、小さな花の映像を拡大してピントがきちんと合っていることを示しています。

【みじかいきご】 短い季語

あるとき短い季語を探したことがあります。さすがにゼロ音の季語はありませんから、一音が最短です。


蚕（こ）［春］ 「かいこ」とも「こ」とも言います。繭から絹糸をとるため飼育されている昆虫です。

鵜（う）［夏］ 鵜飼の鵜です。

蚊（か）［夏］ 人を刺すあのいやな虫。

紗（しゃ）［夏］ 薄く軽やかに織った夏用の織物です。

暑（しょ）［夏］ 夏の暑さのこと。

絽（ろ）［夏］ 紗と同じく夏用の布地の一種。

夏（げ）［夏］ 僧が一室にこもり修行する期間。（陰暦四月十六日〜七月十五日）

葱（き）［冬］ ねぎのこと。

炉（ろ）［冬］ 家の中で火を焚くところです。

【みじかいく】 短い句

一番短い俳句は大橋裸木（おおはし・らぼく　一八九〇〜一九三三）の、

陽《ひ》へ病《や》む

だと言われています。わずか四音。裸木は「層雲」という自由律の結社に属し、主宰の荻原井泉水（おぎわら・せいせんすい）から「俳句の鬼」と呼ばれたと伝えられています。

【みずはらしゅうおうし】 水原秋櫻子（一八九二〜一九八一）

冬菊のまとふはおのがひかりのみ

東京帝国大学医学部卒業生の「木の芽の会」で俳句に触れ、はじめ松根東洋城に、続いて高濱虚子の指導を受けました。短歌に親しんでいた秋櫻子は次第に客観写生に飽き足らなくなります。昭和六年に「自然の真と文芸上の真」という論文を発表して「ホトトギス」と決別。山口誓子らとともに新興俳句運動を担う存在となり、石田波郷、加藤楸邨らの俊英を育てました。

もしも秋櫻子がいなかったら、俳壇はホトトギス一色となり波乱もなかったでしょうが発展もしなかったでしょう。白鵬しかいない大相撲を想像してみてください。好敵手がいてこその名勝負。そういう意味では、現代の俳壇の隆盛につながる重要な一歩を記した人物といえるでしょう。ところで詩人の大岡信さんは「秋櫻子の気持ちのよいところは、親分風をまったく吹かさなかったところである」と記しています。「その意味で掲句は秋櫻子の人柄そのもの。だいたい秀句といわれているものはほとんど作者の自画像的なものだ」。

瀧落ちて群青世界とどろけり

水原秋櫻子は造語を使う名手として知られています。掲句は「群青世界」が造語。滝をとりまく杉林の青を、「群青世界」という一語で表しました。この言葉を聞くと私には「三千世界」という仏教用語が思い出されます。三千世界とは、須弥山を中心に日・月・四洲・六欲天などを含んだものを一世界とし、これを千個合わせたものを小千世界、それを千個集めたものを中千世界とし、それを千個合わせたもののことだそうです。まさに宇宙の広がりを感じさせることば。「群青世界」という一つの造語によって、色だけでなく宇宙の広がりまでを暗示しているようです。

高《たか》嶺《ね》星《ぼし》蚕《こ》飼《がい》の村は寝しづまり
麦秋の中なるが悲し聖《せい》廃《はい》墟《きょ》

「高嶺星」「聖廃墟」も造語。俳句にこうした言葉を置くとうっとうしく感じる筈。そうならないのは秋櫻子の卓越した美意識のおかげでしょうか。

【みぜんれんようしゅうしれんたいいぜんめいれい】 未然連用終止連体已然命令

文語の動詞の活用形を示す俳句上達の呪文です。長たらしいですが、一種類だけですから頑張って覚えてしまいましょう。『源氏物語』であろうと、百人一首であろうと、『奥の細道』であろうと文語で書かれた作品はすべてこの文法に従っています。言いかえれば古典を読み解く鍵。同時に、文語で俳句を作るあなたの必須アイテムです。

未然は否定の「ず」がつくかたち　書かず
連用は「けり」がつくかたち　書きけり
終止は言い切りのかたち　書く

連体は「こと」がつくかたち　　書くこと
已然は「ども」がつくかたち　　書けども
命令は命令形　　　　　　　　　書けよ

「書」の後の言葉に注目してください。「か　き　く　く　け　け」となっていますよね。「か」の段から「け」の段まで「かきくけこ」の四段に変化しているので、四段活用と呼びます。他にも「遊ぶ」「探す」「読む」などの動詞がこれに当たります。では「落つ」ではどうでしょう。

「落ちず　落ちけり　落つ　落つること　落つれば　落ちよ」

「落」の後の言葉は「ち　ち　つ　つる　つれ　ちよ」となっています。「ち」の段と「つ」の段、「たちつてと」の上側の二段に変化しているので、上二段活用と呼びます。他にも「生く」「恋ふ」「老ゆ」などの動詞がこれにあたります。では「受く」ではどうでしょう。

「受けず　受けけり　受く　受くること　受くれば　受けよ」

「受」の後の言葉は「け　け　く　くる　くれ　けよ」となっています。「く」の段と「け」の段、「かきくけこ」の下側の二段に変化しているので、下二段活用と呼びます。他にも「告ぐ」「捨つ」「求む」などの動詞がこれにあたります。ここで、頭を抱えたあなた。一〇九頁の

「下二段活用」の項目へ戻ってください。

【みだしきご】 見出し季語

季語に強弱があるというと驚かれるかもしれませんね。歳時記を開くと季語が見出しとなっています。例えば「梅雨《つゆ》」の項にはまず「梅雨」とあり続いて「梅雨《ばいう》　黴雨《ばいう》　荒梅雨　男梅雨　長梅雨　梅雨湿り　走り梅雨　迎へ梅雨　送り梅雨　戻り梅雨　青梅雨　梅雨の月　梅雨の星　梅雨雲　梅雨の雷　梅雨曇り　梅雨夕焼」と出ています。この最初に書かれている「梅雨《つゆ》」を見出し季語といいます。続く言葉は、傍題とか副季語と呼ばれます。梅雨に関連した季語のうちで最も強いのが見出しの「梅雨」。下に並ぶ季語はパワーは少々落ちるとされます。上五に置いて、や切りにする場合、傍題ではなく見出しの季語を用いるのが原則という俳人もいらっしゃるので、一応指摘しておきます。

【みつはしとしお】　三橋敏雄（一九二〇～二〇〇一）

長濤を以て音なし夏の海

敏雄は一九七二年まで運輸省所属の練習船事務長として日本丸、海王丸などに勤務しました。この句には当時の体験が詠まれているのでしょう。音のない大波。すさまじいエネルギーに満ちた静けさは読者を不安にさせます。3・11の津波の際にはまるで映画の特殊撮影のような長濤がヘリコプターのカメラで映し出されていました。テレビではリポーターの声が響いていた筈ですが、不思議なことに十年たった今思い出すのは声ではなくゆったりとした長濤のうねりのみ。陸にぶつかったときに、あれほどの破壊をもたらすとは信じられないほどの、それは静かな光景でした。掲句は津波を詠んだ句ではありませんが、まるで世界の終わりを予言しているようにも見えます。

【むき】　無季

季語がない作品を無季と呼びます。それに対するのが有季。俳句は有季に限るという俳人もいれば、無季も許容するという方もいて統一された見解はありません。ところで有季派の代表のように思われている高濱虚子にも無季の句があります。

祇王寺の留守の扉《とぼそ》や推せば開く　高濱虚子

祇王寺は、『平家物語』の祇王・祇女にまつわる尼寺。その庵主だった高岡智照尼は、新橋の花柳界から名妓として映画スターになった人です。美貌の故に、多くの文人墨客・政治家・公家たちと交遊しました。その後、恋愛に失敗して自殺未遂や離婚なども経験。一説によると不義理のあった元の恋人に自身の小指を切断して郵送したとも。もっともこれは著作『花喰鳥』に記された虚構かも知れません。

そんな事実を知ってこの句を読むと、一層艶っぽく感じます。この句、実は、

祇王寺の草の扉や推せば開く

だったとされています。これならば「草の」という季節感があったのですが、虚子はわざわざ「留守の」と推敲。なじみの女性を寺に訪ねてきたが、留守だった。でも扉はあいていたよ、こんな意味になるでしょうか。「草の扉」ではひなびた印象しか残りませんが、「留守の扉」とすると俄然色っぽくなります。つい二人の恋の行方まで想像してしまうではありませんか。虚

子があえて無季を詠んだ意味もここにあるのでしょう。ただし虚子はこの作品を俳句ではなく「十七字の詩」と呼んでいます。

ところで掲句の「扉」、読めましたか？　私は、虚子のひ孫にあたる坊城俊樹さんのブログで知ったのですが「とぼそ」と読みます。「とぼそ」とは辞書によると、

1　開き口を回転させるため、戸口の上下の框《かまち》に設けた穴

2　戸。扉。

原義は開戸の軸受の穴のこと。転じて戸のことも言うようです。草庵などの簡素な入り口が目に浮かびます。尼寺の庫裏への扉なら、やはり「とぼそ」でなくてはならなかったのでしょう。虚子の美意識が感じられる用語です。

【むし】　虫

誰でも知っているつもりで実は全然わかっていない季語の代表。そんなことはない、と息巻くあなた。鈴虫と松虫の声の違いが言えますか？　聞けばわかっても、それを言葉でどう表現

するのか？　あるとき、動物物真似の江戸家小猫さんに違いを教えてもらいました。その時の名文句が「鈴虫の声は平泳ぎ」。この意味、解りますか？　リリーン、リリーンと手で水をかくようなリズムで音がゆったりと広がっていくのだそうです。一方松虫の声は一直線に。こんな風に虫の声を言葉に出来たら素敵ですね。

【めいくなし】　名句なし

何故かその言葉を詠みこむと名句ができないとされる言葉があります。例えば孫、帰り道、露天風呂、飛行機雲、観覧車、吊革などなど。孫は可愛いのでついついべたべたの句になりがち。帰り道は言葉が幼い。家路とでもすればましになるでしょうか。露天風呂は裸を見せようという魂胆が透けて見えます。飛行機雲は所在無く、観覧車は生活の現場からかけ離れています。吊革はと言えば、つかまる句ばかりで新味がありません。だからといって、作る前に諦めることはありません。「では私が名句を作る」と闘志を燃やすのもよし。「君子あやうきに近寄らず」と避けるのもよし。先日の句会ではこんな吊革の名句が出ました。

青空市に吊革と古雛　今井聖

売り物として詠まれた吊革。発想が新鮮です。鉄ちゃんが買うのでしょうか。

【めいれいけい】命令形

俳句で命令形を使う場合、かすかに恋の匂いがします。通常命令形を使うのは、職場。軍隊がその代表でしょう。一方、俳句は詩の一形式。職場の言葉は似合いません。それなのに、敢えて命令形を使うとすれば、激情に駆られる場合。男女の間にこそふさわしいと思いませんか。

暖 炉 昏 し 壺 の 椿 を 投 げ 入 れ よ　三橋鷹女

女性から暖炉が暗いのはあなたの愛が足りないからよ、と責められている男性の姿が私には見えます。

【もの】

俳句ではモノを詠めと言われます。秋元不死男はこう述べています。

俳句が「もの」に執着しないと崩れてしまふ、といふ実感は、近年いよいよ僕を虜にしてゐるやうです。

（「俳句と『もの』」昭和二十九年）

俳句とは言葉で出来た構造物。具体的なものは、部品として非常に堅固です。机と言えば、机を、椅子と言えば椅子を誰でもが思い浮かべます。読者が迷うことがありません。動詞となるとそうはいきません。多くの場合「見る」という言葉は省くことが出来ますし、「ある」「いる」なども不要の場合が多いのです。形容詞となるとさらに部品として脆弱。「大きい」「小さい」といっても何と比較して大きいのか、小さいのかわかりません。大きい蟻もいれば、小さい山もあるのですから。つまり情報が曖昧なのです。短歌のように三十一音あれば、動詞をいくつか使って事柄を描くことが可能ですが、十七音の俳句ではそれは無理。俳句は名詞の詩型。短歌は動詞の詩型と呼ばれる所以です。

#【や】行

【や】 切字

テレビCMを思い出してください。大抵の場合一カットでは出来ていません。複数のカットをつないでいる筈です。この映像のつなぎ目を編集点と呼びます。切字の「や」とは何ですかと質問されたら、私は「編集点のようなもの」と答えることにしています。名句を例にとってみましょう。

菜 の 花 や 月 は 東 に 日 は 西 に　　与謝蕪村

この句の切字は「菜の花や」の「や」です。まず画面に菜の花が写っています。鮮やかな黄色の花です。次のカットで東の空に昇る月が写されます。カメラはそのままパンして西の空に沈む太陽をとらえます。ちなみにパンとは、三脚や自分の体を支点として左右にカメラを振ること。ちなみに、上下に動かす場合は、パンアップ、パンダウンです。一カット目は菜の花の固定ショット。二カット目は月から太陽へのパン。私なら丘の上にカメラを置き俯瞰カットとして撮影します。そのほうが風景が広くなり、パンもゆったりとした速さになるからです。この二つのカットをつなぐのが編集点です。菜の花と日月。直接関係のない二つの要素を「や」で違和感なくつなぎます。これが切字の「や」の働きです。

さて、この映像の文法をあてはめれば、「や」の前と後ろで別のことをいわなければならない、というルールの理由がわかります。映像ではカットをつなぐときに禁忌があり、そのひとつが「同ポジ」と呼ばれるものです。カメラを移動せず、同じ位置から撮影した映像同士はつなげません。例えば、人物を撮り、続いて同じ位置から人物のいない風景を撮ります。この二カットをつなげるとぱっと人が消えたように見えます。特殊撮影など効果を狙った場合はいいのですが、通常の動画でこれをやるといかにも不自然です。同じように切字の「や」を編集点と考えれば、前後でカメラの位置を変えなければなりません。わかっていただけたでしょうか。

【やぎり】 や切り

日本の伝統芸能には型があります。茶、活花、能、歌舞伎。型に習熟し自分のものにした上で、今度はそれをはみ出してゆく。名人といわれる人たちはそれを実践してきました。当然俳句にも型があります。最も基本的な型がこれ。

四文字の季語＋や＋中七＋名詞

名月や男がつくる手打ちそば　森　澄雄

俳人藤田湘子が『新版　20週俳句入門』（角川学芸出版）で推奨している型です。この入門書は大変よくできていて、誰でも型さえ覚えればある程度の習熟が可能なように書かれています。従来の入門書に見られた精神論を遠ざけ、テクニカルに俳句作りの要点をまとめた画期的な書だと思います。

この型で大切なのは、「『や』で切った後ろは季語と無関係な言葉を入れること」。名月と手打ちそばが関係ないからこそ、一句の世界が広がります。もう一つは、「中七の言葉が下五の名詞のことを言っている」ということ。「男がつくるのが、手打ちそば」つまり中七下五はひとつながりのフレーズでなければなりません。

この型を変形して下五に動詞や形容詞を置くことも出来ます。

四文字の季語＋や＋中七＋動詞（形容詞）

玫瑰《はまなす》や今も沖には未来あり　中村草田男

ここでも、

①上五に季語を置き、「や」で切る。
②中七下五は一続きのフレーズである。
③中七下五は、上五の季語と全くかかわりのない内容にする。
この三原則は下五に名詞を置く場合と同じです。
さて、ここまではいずれも上五を「や」で切りました。やや上級コースとなりますが「や」を使って中七で切ることもできます。

上五＋中七＋や＋五文字の季語

ひつぱれる糸まつすぐや甲虫《かぶとむし》　高野素十

この中七の「や切り」を嫌う俳人もいます。ごたごたと言葉を詰め込み過ぎる感じがするのでしょう。一方、熱烈に支持する俳人もいます。十七音を最大限利用して万物の細部にまで迫ろうというのでしょう。ゆったりと作るか、詰め込んで作るか。一言でいえば俳句観の違い。イギリスのＥＵ離脱と同じで、全員の意見が一致することはありません。

【や・けり】

一句の中に二つの切字を用いることはタブーとされています。季重なりを許容する俳人はかなりいらっしゃいますが、「や・けり」「や・かな」を許容する方には会ったことがありません。切字は感動の中心を示しますから、二つ用いると焦点がぼやけてしまいます。ところが何事にも例外があるものです。

降る雪や明治は遠くなりにけり　　中村草田男

有名な一句ですが、ここには堂々と「や・けり」が用いられています。この矛盾を説明するために「抱え字」を指摘する方がいます。一句の中に置くことを避けなければならない二語の間に他の語をはさんで全句を落ち着かせるとき、はさんだ語を「抱え字」と呼ぶのです。この句では「は」が抱え字にあたります。しかし、そんな面倒くさい説明をするより、何事にも例外があると割り切ったほうがすっきりします。私自身は抱え字を用いたことがありません。

ちなみにこの句にはエピソードがあります。昭和六年の句会に出されましたが、師の虚子は句会の席では採りませんでした。ところが帰りのエレベーターで一緒になった草田男に「あの句は矢張り採って置こう」と言ったといいます。もしも、エレベーターに偶然　虚子が乗り合わせなかったら、名句として世に残らなかったかもしれません。人間に幸不幸があるように、句にも運不運があるようです。

【やなぎ】柳

田一枚植ゑて立ち去る柳かな　松尾芭蕉

『奥の細道』に登場する一句。季語は「田植え」ですが、柳が別れに彩を添えています。しかし、柳でなくても他の木でもかまわないのでは。そう思ったあなた、いい勘をしています。何か深い事情がありそうですよね。

漂泊の歌人として知られる西行の歌に、「道のべに清水流るる柳かげしばしとてこそ立ちどまりつれ」(『新古今和歌集』『山家集』)があります。芭蕉は、西行ゆかりの柳に心を寄せ、元禄二年(一六八九)四月十九日、殺生石を見物したあと、この遊行柳に立ち寄りました。『奥の細道』には、憧れの地に立った感慨が記されています。

「清水が流れるほとりにある柳は、蘆野の里の田の畦に残っている。郡守の戸部某が、この柳を見せたいなどと折々に手紙をくれたのだが、是非いつかと思っていたところ、今日この柳のほとりに立つことができた」と嬉しさを記し、その後に掲句を詠んでいるのです。芭蕉にとっては特別な柳だったわけですね。

ところで、その遥か以前から柳は詩歌に詠まれてきました。次の漢詩を見てください。

渭城の朝雨軽塵を浥す
客舎青青柳色新たなり
君に勧む更に尽くせ一杯の酒
西のかた陽関を出づれば故人なからん

唐代の詩人・王維が西域に旅立つ知人を見送ったときの情景です。渭城とは、渭水のほとりにあった秦・漢時代の都、咸陽のこと。「咸陽の朝の雨が塵をしずめている。旅館の柳は青々と新たな色合いを見せている。さあ、もう一杯酒を飲み干したまえ。西のかた陽関の先に行けば、もう知り合いはいないのだから」という意味。この有名な詩に登場するのが柳。そのおかげで、古来柳が旅立ちや別れの象徴とされるようになりました。

王維、西行、芭蕉、古の大詩人たちが別れを詠んだ柳。あなたも一句詠んでみませんか。

【やのせつぞく】「や」の接続

「や」は何につくのか？　一番多いのが名詞。

菜の花や月は東に日は西に　与謝蕪村

しかし、それだけではありません。

火を焚くや枯野の沖を誰か過ぐ　能村登四郎

この場合は「焚く」という動詞についています。

うららかや空より青き流れあり　阿部みどり女

この句では「うららか」という形容動詞に。え？　何にでもつくの？　その通り。「や」の接続は何でもあり。文法的な制約を気にせずどんどん使ってください。

【やまぐちせいし】 山口誓子（一九〇一〜一九九四）

冬河に新聞全紙浸り浮く

いわゆる花鳥諷詠の情緒とは無縁の作品。冬の寒々しい河に、新聞紙が浮かんでいます。徐々に水がしみて重くなってゆきますが、全紙に染みこむにはまだ時間がかかりそう。沈んで姿を消すこともできず、無様な姿をさらしています。自画像と読むこともできますが、私はあくまで実際の景として読みたいと思います。この身も蓋もないリアリズムこそ、戦後の俳句のひとつの到達点。誓子は昭和二十三年に俳誌「天狼」を創刊。西東三鬼、平畑静塔、秋元不死男らが集まり、やがて永田耕衣も参加しました。彼らは俳句の根源を問い、俳句の近代化をはかりました。

【やまもとやま】 山本山

上五が名詞、下五も名詞の句を山本山と呼ぶことがあります。「上から読んでも山本山、下から読んでも山本山」のコマーシャルでおなじみですよね。覚えやすくて素敵なネーミングなのですが、俳句では要注意。中七が上につくのか、下につくのかわかりにくいためお勧めできないかたちとなります。次の句は酒井敏也さんが「俳句さく咲く！」の勉強会で詠んだ一句。

登山道真下に見ゆる黒部川　酒井敏也

「黒部川」という地名がいきた一句ですが、ややわかりにくいのが難点。登山道が真下に見えるのか、真下に黒部川が見えるのか、一瞬迷いませんか。意味を考えれば真下に見えるのは川の筈ですが、そこに行き着くまでに少々時間がかかります。一読してすっと景が浮かぶのがよい俳句。山本山の句はできれば避けたいものです。

【ゆうきていけい】有季定型

有季とは季語を入れること。定型とは五七五のこと。定型がスーツだとしたら有季はネクタイのようなもの。スーツさえ着ていればシャツの胸をはだけても様になりますが、ネクタイを締めると俄然グレードアップします。三ツ星のレストラン、五ツ星のホテルでも臆することはありません。ネイビーのスーツに青系のタイならシックな装い。ボルドーならば自分を押し出して。黄色ならフレンドリーな私。緑なら協調性のある個性を演出。知らない方に会うときにこうした印象は決定的に大切です。わたしの中身を相手は知る由もありませんから、まず見かけで判断されます。これは俳句でも同じ。有季定型を守っていさえすれば、まず二十点くらいの評価はもらえます。いわば「下駄をはかせてもらえる」わけです。この基礎点の上に内容を上積みすれば合格の六十点は目の前。基礎点なしで合格を勝ち取ろうとするのは、かなりの実力が必要です。初めのうちは俳句は季語があるから難しいと考えます。実は全く逆。季語がある分合格しやすくなっているのです。

さて、有季定型。一説によればスーツはもともと軍服から発展したものだとか。それだけに堅苦しい印象は否めませんが、ネクタイで色を添えることで様々な雰囲気を演出できます。スーツとネクタイ。有季定型、時代を超えて滅びないスタイルには理由があります。

【ゆき】 雪

雪月花と並び称される季語の代表的存在。日本の美意識の行き着くところと言ってもよさそうです。数々の名句がありますので、できるだけ暗唱されるとよいと思います。

雪の日暮れはいくたびも読む文のごとし　　飯田龍太

絶妙な比喩。感心するばかりですが、自分でこのレベルを詠むのはさすがにハードルが高い。そこでお勧めしたいのが取り合わせです。雪そのものを詠むのではなく、雪と何かを組み合わせて詠むのです。これなら私にも、あなたにもできそう。

【ゆきげがわ】　雪解川

一瞬が一瞬を追う雪解川　　宇多喜代子

暖かくなって雪が溶け始めると、川が増水して轟々と流れます。それが雪解川。私は巨大な砂時計のような川を想像しました。砂時計の落ちてゆく砂の一粒が一瞬を示すように、雪解川を流れゆく一滴が一瞬を表しているようです。一滴が過ぎた後を別の一滴が追ってゆく。飛沫を上げながら時間が過ぎてゆくのです。古来、人間は時間について考えてきました。なぜ時間は一方通行なのか。過ぎてゆく時はなぜ戻らないのか。人はなぜ、時の流れに抗えないのか。時間の川というメタファーは、そんな疑問に対する一つの回答です。川を流れる水は戻りません。上流から下流へと過ぎてゆくだけで、決して後戻りはしないのです。そして、雪解川の圧倒的な水量は、人をたやすく押し流してしまいます。哲学的な内容を眼前の景色として描いて見せた見事な一句。さて句集の数ページ前にはこんな句も登場します。

永 劫 と 瞬 時 を こ こ に 滝 し ぶ き

ここでも、滝が時間のメタファーとして使われています。川の例に倣えば、瞬時を表すのが滝の飛沫。永劫は滝そのもの、つまり総体としての時間でしょうか。

【ゆめ】 夢

初心者が詠みたがりますが、九十八％失敗する言葉。俳句は言葉の写真だと言いましたよね。写真というからには具体的なモノを写さなければなりません。気持ちや事柄は写りませんから。夢は写真に写らないものの代表。それなのにこんな作品が出てくるのですから、俳句は奥が深い。

夢 の 世 に 葱 を 作 り て 寂 し さ よ　　永田耕衣

【ようなし】洋梨

遠来の洋梨嗅いで供えて撮る　池田澄子

「洋梨」が秋の季語。梨には幸水などの日本の梨と、洋梨がありますよね。洋梨は香り高く、しもぶくれの変な形をしています。洋という文字が入っているせいか、遠いところから来た珍しい果物のようにも感じられます。掲句は、そんな洋梨の特性をあますところなく詠み込んでいます。薫り高いから嗅いでみる。珍しいから仏前に供える。面白い形だから写真に撮る。多分ＳＮＳに投稿する。多分、おしまいの「撮る」がなかったらかなり魅力が減ってしまいます。でも「撮る」がきいているから、現代を鋭く切り取った句になっているのでしょう。他に思いつく動詞といえば、切る、剝く、食べる。どれも平凡です。俳句の中で動詞を使うときはよほど吟味しなければならない。そんなことも感じました。

神田川祭の中をながれけり　久保田万太郎

あまりにも有名なこの句でさえ「流れる」と「川」がつきすぎと、批評されるぐらいですからね。

【よだんかつよう】　四段活用

文語の動詞の活用の一つです。「書く」を例にとれば、

未然形　書かず
連用形　書きけり
終止形　書く
連体形　書くこと
已然形　書けども
命令形　書け

「書」のあとを見てください。「かきくけこ」の「か」から「け」まで四段に活用するので四段活用と呼びます。さて、文語でよく使う助動詞「り」。完了を表す「り」は、主に四段活用の命令形に接続します。「書く」は四段活用ですから「書けり」はOKです。しかし「落つ」は上二段活用ですから「落ちり」とは言えません。同様に「越ゆ」は下二段活用ですから「越えり」も誤り。間違える方が多いので注意してください。

【ら】行

【り】　助動詞

間違える頻度の最も高いもののひとつが完了を表す「り」。投稿を見ても本当に多くの方が間違っています。越えてしまったという意味で「越えり」などと書いてあるものが多い。どんなに句の内容がよくても、これでは入選しません。何故でしょう？

「り」は四段活用につく助動詞。四段活用とは例えば「歩く」。「り」は四段活用の「歩け〔命令形〕」に付いて「歩けり」となります。「越えり」が駄目なのは「越ゆ」が下二段活用だから。

ちなみに四段活用以外に「り」がつく動詞があります。〇〇してしまったという意味の「せり」。覚えておきましょう。

春あたたか回して椅子を高くせり　　奥坂まや

【りくつ】　理屈

俳句で忌み嫌われるのが理屈です。日常生活でも理屈っぽい人は敬遠されがちですが、俳句では最悪。俳句でいう「理屈」とは因果関係のこと。例えば窓を開けたら紅葉が見えた、という類です。間違ってはいませんが、詩のことばとしては凡庸。

障子しめて四方の紅葉を感じをり　星野立子

この句のように、障子を閉めたら紅葉の気配が迫ってきた、と理屈を無視したほうが俳句としては上質です。古来日本では最上の褒め言葉は「涼し」でした。蒸し暑くうだるような季節に涼しさは大変有難いもの。「涼しい」という意味だけではなく上品であるという意味にも使われます。兼好法師も『徒然草』に「家の作りやうは、夏をむねとすべし。冬はいかなる所にも住まる。暑き比わろき住居は、堪へ難き事なり〔五十五段〕」と記しています。家は夏を過ごしやすいのがよい。冬はどんなところでも住める。暑い時期に駄目な住居はたえがたい、という意味。家に限らず俳句でも暑いのは最悪。暑苦しいものの典型が理屈。

先日の句会で、こんな句が出ました。

片足のはみ出す寝相春めきぬ　福花

沢山の点が入ったのですが惜しい部分があります。どこなのか、内容を確認してみましょう。春らしくなってきて、あたたかくなったので足がはみ出した、と読めますよね。「寝相」と

「春めきぬ」の間に因果関係があります。つまり、これが理屈。こんな時には因果関係のない別の季語を置くとうまくゆきます。

【リフレイン】

言葉やフレーズを繰り返すこと。音楽的な表現で歌詞によく見られます。俳句は十七音と短いので多用はできませんが、成功すると大変印象的になります。

西国の畦曼珠沙華曼珠沙華　森　澄雄

西国には多くの霊場があり、街道を遍路が旅します。畦には曼珠沙華。花の名を繰り返すことで　真っ赤な映像が重なりどこまでも赤い畦道が目に浮かびます。曼珠沙華は死人花とよばれるように、生と死の世界をつなぐ花。供養の思いまで伝わってくる一句です。

きんかんの苗木きんかん十ばかり　高野素十

岸本尚毅さんによればこの句はもともと「きんかんの十ばかりなる苗木かな」でした。それを推敲して掲句のかたちに。「きんかんの苗木」は品種を示し、「きんかん十ばかり」は、実のなり方をはっきりと見せてくれます。写生の名手といわれた素十は、リフレインを使ってリズムをよくしただけでなく、写生句としての精度も高めています。推敲前の句を読むことで、思考の経過を辿ることができます。

【りゃくご】 略語

俳句は十七音と短いので長い言葉をよく略します。例えば、きりぎりすを「ぎす」。足の裏は「あうら」。ところで辞書を引くと「あうら」は載っていません。辞書にない言葉は使ってはいけません、と仰る先生もいて初心者は悩むことになります。じゃあ、どうするか？　わかっていて使う。つまり確信犯です。「あしのうら」と五音を使ってあえて字余りにするか。「あうら」と三音で定型にまとめるか。その選択はあなた次第。最後は自分で決める。それが俳句のルールです。

【るいそう】 類想

先行する他の俳句に似ていることを類想といいます。どんなに素敵な句でも先行句があれば、そちらが優先。悪気はなくとも、あと出しじゃんけんと同じで、ずると見なされることもあります。実際問題として俳句は短い詩ですから、はからずも似てしまうケースは多々あります。そんなときは潔く自作を引っ込めるしかありません。

最近では外国語の俳句も人気を得ていますが、もともと俳句は日本語の詩。日本語は一定の情趣を共有している人々の間で話されます。桜といえば、美しく、いさぎよく散るもの。残暑といえば、もう秋なのにじっとしていてもだらだらと汗の流れる不愉快な暑さのことです。言うまでもありません。見方を変えれば、言うまでもないことが通用するからこそ、俳句が成立するともいえるのです。いちいち説明していてはとても十七音では言い尽くせません。このことは類想が多く成立してしまう原因ともなっています。桜といえば？　美しく、いさぎよく散るもの。はい、その通り。ですから、美しくいさぎよい桜の句ばかり出来てしまうのです。母といえば小さく、父の背といえば広い。類想は俳句だけなく日本文化の本質的な部分に深く関わっています。

ちなみに近年俳壇を席巻した類句がこちら。誰かの真似という訳でもなく、自然発生的に各所で目にするようになりました。原爆忌と終戦日を巧みに詠み込んでいますが類想です。

八月や六日九日十五日

【れんさく】 連作

俳句にはいくつもの賞がありますが、三十句、五十句と連作で応募しなければならないものもあります。そんなときは、並べる順番に注意してください。まず、季節は順を追って並べるとよいでしょう。新年の季語の次に大晦日の句が来たら、頭がくらくらしてしまいますよね。だからと言って、必ず新年から始めなければならないというルールはありません。まず冒頭の句を何にするか考えてください。最初の三句程度はパンチがあるものを。夏の句にいいものがあれば、夏から並べても構いません。秋や冬でもＯＫ。

注意点はほかにもあります。歳時記の時候、天文、地理、生活、行事、動物、植物、それぞれの項目の季語がなるべく続かないようにしてください。同じ季語の句を並べるときは、特に慎重に。

ある賞の選考委員の言葉に、こんなものがありました。「作句場所や素材の類似したものが目立ち、季重なりが多いのも気になる」。残念ながらこう書かれた作品は受賞を逃しました。逆にいえば、場所の変化があり、類似した素材が少ないもののほうが評価が高いということになります。さらに言えば季重なりは、やはり厳しい。賞の選考は減点法ですから、句会ではある程度許容される季重なりも厳しく審査されてしまいます。

そして、連作の最後は極めつけの一句で終わりたいもの。また句の形式も重要です。例えば切字の「かな」を使った句ばかりが並ばないよう。私自身のことを言えば、ともすれば「かな」の句ばかりが並び、構成が単調になってしまいがちです。

連作の理想は絵巻です。鳥獣戯画を思い浮かべてください。次々に場面が移り変わって飽きさせません。そんな風に句を並べることができれば成功です。

【れんそうほう】連想法

入門書には「感動を言葉にしよう」的なことが記されています。間違ってはいませんが、あなたは毎日感動しますか？　感動しないのに毎日俳句が作れますか？　はい、作れます。それが連想法です。櫂未知子さんが提唱するもので、季語から次々に連想する言葉を並べてゆくものです。ルールは二つ。①季語を連想してはいけない。②前に出た言葉は忘れる。②は説明が必要かも知れません。連想が同じジャンルの中をどうどう巡りしないようにするためのルールです。前に花が出ていたら別の花を出してはいけません。ひとつ前だけでなく、連想全体を俯瞰してください。

さあ、「俳句さく咲く！」で出演者に実際にやってもらうことにしました。櫂未知子さんから始めて武井壮さん、酒井敏也さん、加藤諒さん、上西星来さん、櫻井紗季さんの五人で連想をつなぎます。で、その結果は？

冬休→合宿→田舎→畦道→銀輪→買物→袋

同じジャンルの言葉が重なっていないことを確認してください。連想をつないで「冬休み」から「袋」に行き着きました。一見何の関係もない二つですが、かすかに細い糸がつながっています。櫂さんは二つの言葉を使って、

幾袋両手にさげて冬休　　櫂未知子

と詠みました。冬休を迎えてレジャー用品や食べ物を勇んで買って帰る様子が浮かんできませんか。こんな風に季語とその他の言葉を組み合わせて一句を作ります。取り合わせの極意はつかず離れず。やってみると難しいものですが、この方法を用いれば比較的簡単に実現できます。私が連想法を知ったのは俳句をはじめて十年以上たってからでしたが、わかっていればもっと早く上達していたことでしょう。残念。

【わ】行

【ワイドレンズ】

俳句を動画と捉えた場合、どんなレンズを選択するかが非常に重要になります。レンズにはワイド、標準、望遠、マクロ、魚眼などの種類があり、適切なものを被写体によって使い分けます。ワイドレンズは広い画角を持っていて、場所の全体像を映し出すことができます。特に店内のような狭い場所で威力を発揮します。料理番組の厨房のシーンは、ほとんどこのワイドレンズで撮影されています。ピントが手前から奥まで合うので大変便利ですが、画面の中央のものは大きく、端に行くほど不自然に小さくなるという特性があります。それだけでなく、画面の端のものが湾曲したり色が滲んだりもします。

投げ出して足遠くある暮春かな　　村上鞆彦

典型的なワイドレンズの句です。目の位置にカメラが置かれ、投げ出した自分の足を写しています。ワイドレンズなので体はゆがみ、離れた足は実際よりも遠く小さく見えます。それが「足遠くある」というフレーズが描く世界です。「暮春」は、春がまさに果てようとする時期のこと。何となく物憂く艶めいた季語です。体の一部である筈の足さえも遠く感じる作者。心象的な風景を、ワイドレンズが見事に映像化して見せてくれています。

【わたなべはくせん】　渡辺白泉（一九一三〜一九六九）

戦争が廊下の奥に立ってゐた

白泉は無季俳句の可能性を追求した俳人です。どこの廊下でしょうか。学校？　役所？　長い長い廊下の奥に暗がりが広がっています。さだかには見えませんが、暗がりの中に何かがぬっと立っています。長靴を履き、ゲートルを巻いた脚でしょうか。目をこらしてもよく見えません。でも何か不穏なものであることは確かです。この句は日常に隣り合わせの戦争の危機を描いています。戦争は足音高く、大通りを行進してくるものと多くの人が思っています。しかし実際に太平洋戦争を体験した白泉には、足音もなく忍び寄ってくるものという実感が濃かったのでしょう。

【を】　助詞

群青と青のはざまを遍路たち　　蜂谷一人

拙句を例に「を」の用法を考えてみましょう。「群青」は海。「青」は空ですから海と空の出会うところを白装束の遍路たちが歩んでいる、そんな景が立ち上がります。原句のままですと、はざまを移動している感じが強く出ます。「を」は空間の広がりを表す助詞だからです。仮に「はざまの」であったらどうでしょう。遍路たちは歩まずそこにとどまっています。「はざまに」ですと、まず「はざま」という場所が見え、しかるのちに遍路の姿が現れます。助詞を使う際には必ずいくつかあてはめてみて、最善のものを選ぶ必要があります。

◆あとがきに代えて

【んんん？】

俳句を作る意味を問われたらなんと答えますか？「んんん？」ですよね。恥ずかしながら、私は長い間考えたことがありませんでした。句会では点が入ることだけを目指し、時には選者にちょっと褒められたいと思い、そんな軽い気持ちで俳句を楽しんできました。ところが二〇一七年に第三十一回俳壇賞をいただくこととなり、事情が変わりました。多くの人が「おめでとう、これで君も俳人だね」と言ってくれましたが、中には「おめでとう、これで俳人同様だね」と言う人もいました。俳人といえば、芭蕉以降の名人たちの系譜に連なるということ。俳人同様といえば残念ながら俳人にはまだ程遠いという意味にもとれます。どちらにしても大変なプレッシャーで、俳句を作る意味がわからなくなってしまいました。

少々へこんでいたある日のこと、以前の出来事を思い出しました。もう三十年近く前、「NHKスペシャル」という番組の取材でイラク北部のシャニダールを訪れたときのことです。イスラム国関連で新聞によく登場するモスルの近くです。当時はイランイラク戦争の直後で、道には壊れた戦車が放置されていました。

原野の小高い丘に洞窟がありました。間口二十メートル奥行四十五メートルの大きなものでかつてヒトが住んでいました。ただし我々と同じヒトではありません。ネアンデルタール人です。

彼らは火と石器を使用していました。言葉を持っていました。狩をして生活をしていました。最も重要なことは、祭祀を行っていました。アメリカの人類学者ラルフ・ソレッキ教授は数回にわたり洞窟の発掘調査を行っています。私たちの取材は教授に同行してのものでした。

教授は六万年前の地層から体を曲げた状態で埋葬された人骨を発見しました。ラスコーの壁画が二万年前ですからどれだけ古いかわかるかと思います。その周囲から大量の花粉が見つかったのです。タチアオイ、アザミなど八種類の植物。偶然洞窟内にまぎれこんだにしては花粉の密度があまりにも濃かったこと、花粉が死者の上半身に集中していたことなどから、教授は死者の胸に花束を置いたものと結論づけました。シャニダールにあったのは人類最初の葬式の遺跡だったのです。

六万年も前、野蛮人とされてきたこのヒトたちは死者に花束を捧げました。教えられたわけではない。芸術や自己表現のためでもない。ただ死者を悼みたいという気持ちを花束に託したのです。

受賞後、私が思い出したのはそのことでした。人は花束を贈る心を持って生まれてくる。俳句は言葉の花束であればいい。

二〇二一年十月

蜂谷一人

著者紹介

蜂谷一人（はちや・はつと）

「NHK 俳句」プロデューサー
2001 年　松山にて夏井いつきに出会い俳句を始める
2017 年　第 31 回俳壇賞受賞

ハイクロペディア
―超初心者向け俳句百科

令和三年十月二十九日　第一刷

著　者　蜂谷　一人
発行者　奥田　洋子
発行所　本阿弥《ほんあみ》書店
東京都千代田区神田猿楽町二―一―八　三恵ビル
〒一〇一―〇〇六四
電話　（〇三）三二九四―七〇六八（代）
振替　〇〇一〇〇―五―一六四四三〇
印刷・製本　日本ハイコム
定価はカバーに表示してあります。

ISBN978-4-7768-1569-3 (3285) C0092　Printed in Japan